# Paid ag Edrych Arna I

## Gwynn Llewelyn

GWASG GEE

℗ © G<small>WYNN</small> L<small>LYWELYN</small>

Argraffiad cyntaf Gorffennaf 1999

ISBN 0 7074 0326 X

*Dymuna'r cyhoeddwyr gydnabod cymorth Adrannau Cyngor Llyfrau Cymru.*

*Argraffwyr a Chyhoeddwyr:*
GWASG GEE, DINBYCH, SIR DDINBYCH

# *Cyflwyniad*

*I Gwyneth a'r Hogiau*

# Pennod 1

Eisteddai'r hen ŵr yn ei gadair siglo y tu allan i'r caban yn rhyw slwmbran cysgu. Gwallt gwyn, tonnog, trwchus, ac wyneb hawddgar, golygus heblaw am y trwyn; roedd hwnnw wedi cael dyrnod galed rywbryd ac yn o gam. Bob hyn a hyn tynnai ei law dros ei wyneb, gan ryw hanner anwesu ei drwyn, a deuai hanner gwên i'w wefusau. Roedd hi'n gynnes yn yr haul, haul hwyr y prynhawn, canol Medi.

Yn sydyn dyma waedd. "Paid! Paid ag edrych arna i!" a'r hen ŵr yn neidio allan o'i gadair, ac yn sefyll gan edrych yn ddigon ffwndrus, nes i wraig ifanc redeg allan o'r caban a gofyn, "Be sy'n bod, Nhad? Yr hen hunlle yne eto, ia?"

"Wel ia, Gwenno, eto fyth. Yr un hen deimlad fod yne rywun yn edrych arna i o ryw dywyllwch. A'r teimlad mai tywyllwch sy o 'nghwmpas inne, hefyd."

"Hitiwch befo, Nhad, mae o wedi mynd heibio am y tro eto."

Toc, dyma hogyn bach tua chwech oed, llygaid glas, gwallt cyrliog melyn, allan o'r caban.

"Be 'di eiots, Taid?"

"Be wyt ti'n feddwl, eiots, Huw?"

"Mam oedd yn deud 'ch bod chi yng nghanol busnes y methu'r eiots yne eto, Taid."

"Merthyr Riots, Huw bach, Merthyr Riots," meddai'r hen ŵr gan chwerthin.

"Be 'di rheini 'te, Taid?"

"Wel, rŵan 'te, mae honno'n stori hir, hir iawn, cofia. A mae hi'n cychwyn ymhell bell yn ôl. A dydw i ddim yn siŵr 'y mod i'n cofio pob peth, chwaith, petai hi'n dod i hynny. Ond tyrd i lawr hefo fi i gau ar yr hen ieir yne, ne' mi fydd yr iâr wirion Wyandotte wedi mynd i glwydo yn y coed eto. A wedyn mi ddeuda i dipyn bach o'r hanes."

Ac i lawr â'r ddau, law yn llaw, i gyfeiriad y cwt ieir.

"Wel, ia. Y Merthyr Riots! Mae'n rhaid imi ddechre yn y

dechre, mae'n siŵr gen i. Dwi ddim yn cofio dim am 'y nhad nac am Mam, wel'di; dwi'n meddwl bod y ddau wedi marw o ryw afiechyd mawr pan oeddwn i'n fabi. Mae'n rhaid nad oedd gen i ddim teulu agos i edrych ar 'yn ôl i, ond beth bynnag oedd y rheswm, yn y tloty yn Llanelwy y cefes i fy magu. A digon …"

Tra oedd yn siarad ac yn edrych ar Huw, trawodd yr hen ŵr ei droed yn erbyn carreg, baglu a syrthio yn ei hyd, gan daro'i ben yn erbyn postyn ffens. Gorweddai yno'n llipa, ddisymud, a gwaed yn llifo o doriad dwfn ar ochr ei ben.

Yn ei fraw rhedodd Huw bach yn ôl i'r caban gan weiddi, "Mam! Mam! Mae Taid wedi syrthio a mae o wedi taro'i ben, a mae o'n gwaedu'n ofnadwy, a dwi'n meddwl ei fod o wedi marw!"

Rhedodd Gwenno i'w gyfarfod, a phan edrychodd i gyfeiriad y cwt ieir a gweld ei thad yn gorwedd mor llonydd, gwaeddodd ar Huw, "Dos i'r cae i alw ar Gwilym. Dywed wrtho fo i ddod yma cyn gynted fyth ag y meder o."

Wedi i Gwilym gyrraedd a'i wynt yn ei ddwrn, hanner llusgodd a hanner cariodd ef a Gwenno'r hen ŵr i'r tŷ a'i roi o i orwedd ar y gwely.

"Gwilym, mi faswn yn fwy tawel petaen ni'n medru cael Doctor Harri i'w weld o. Fedrech chi roi Seren yn y trap a mynd i'r pentre i'w nôl o? Mi a' inne ati i olchi'r toriad yma ar ei ben o, a'i dacluso fo dipyn. Fedra i ddim cael llawer o synnwyr allan o Huw am be ddigwyddodd, mae o wedi cael gormod o fraw. Falle na ddaru 'nhad ddim ond troi ei droed, ond hwyrach ei fod o wedi cael trawiad; pwy ŵyr?"

Pan ddaeth hi'n ôl hefo'r fowlen o ddŵr cynnes a chadach i ymgeleddu dipyn ar ei thad, sylwodd ar gysgod wrth y drws. Johnny, yr hen Indiad o lwyth y Shawnee oedd yno, ei wallt hir yn ddu fel y frân, a'i wyneb croen tywyll yn hollol ddigyffro, yn dweud dim.

"Come in, Johnny. Do you want to see my father?"

Dim ond tuchan yn ateb, ac i mewn â fo, ac at y gwely, a rhedeg llaw dros wyneb yr hen ŵr, yna'i wddw a'i arddwrn. Wedyn agorodd botel fechan a thaenu ychydig o'i chynnwys ar dalcen y claf hefo pluen.

"Him wake, four day!" a gwnaeth arwydd o'r haul yn codi ac

yn cyrraedd yr entrych ac yna'n disgyn tua'r gorwel. Trodd ar ei sawdl ac allan ag o.

Wedi meddwl, doedd Gwenno ddim yn cofio iddi weld Johnny Shawnee o gwmpas y ffarm ers wythnosau. Sut y gwyddai ef fod ei thad wedi brifo? O ble y daeth o mor sydyn, a beth oedd yn y botel fach? A sut y medrai ef ddweud y byddai ei thad yn well ymhen pedwar diwrnod, a hynny at ddiwedd y prynhawn? Doedd yna ddim atebion i gwestiynau felly, ac eto roedd Gwenno'n teimlo'n fwy bodlon, rywsut, ac yn derbyn fod gan yr Indiad wybodaeth am bethau fel hyn.

Erbyn i'r doctor ddod roedd yr hen ŵr wedi bod yn anymwybodol am dros deirawr, ond yn anadlu'n esmwyth, a lliw ei wyneb yn dal yn dda.

"Be 'dach chi'n feddwl, Doctor Harri? Ydi o'n ddrwg?"

"Wel, Gwenno, dydi o ddim wedi bod yn ymwybodol o gwbwl ar ôl taro'i ben, yn naddo? Ddim hyd yn oed wedi agor ei lygid?"

"Naddo, dim byd, doctor."

"Hm, mae'r toriad yne ar ei dalcen yn ddigon glân, a fydd o ddim yn hir yn gwella wedi'r pwytho; mae ei galon o'n curo'n gryf, mae ei bŷls o'n llawn, a mae ei liw o'n dda. Dwi ddim yn gweld unrhyw arwydd ei fod o wedi cael trawiad. Na, effaith taro'r pen ydi hyn, *concussion*, ond mae'n anodd iawn deud pa mor hir y bydd o'n anymwybodol."

Tynnodd nodwydd allan o'r bag du oedd ganddo, a hyd o rawn ceffyl, a thynnodd ymylon y toriad at ei gilydd.

"Mae hwnne'n edrych yn fwy taclus rŵan, yn tydi? Mi ddo i heibio fory eto, ond os bydd yne unrhyw newid, rhowch wbod i mi, wnewch chi?"

"Mae Johnny Shawnee wedi bod yma, Doctor Harri, a mi ddeudodd o y bydde 'nhad yn well erbyn yr adeg yma ymhen pedwar diwrnod."

"Gwenno fach, sut medrwch chi wrando ar y fath beth? Craduried anwaredd ydi'r Indiaid; faswn i fy hun ddim yn fodlon cael dim un ohonyn nhw o gwmpas y lle. Yn ôl yn y goedwig y dylen nhw fod. A dwi'n rhyfeddu'ch bod chi'n barod i ymddiried ynddo fo o gwbwl! Sut y meder o wbod dim byd?"

"O! mae 'nhad a fynte'n hen hen ffrindie; dwi'n ei gofio fo'n dod yma pan oeddwn i'n eneth fechan iawn. Maen nhw wedi treulio orie yn trin a thrafod rhyw hen lyfr dail sy gan fy nhad, yn edrych ar y llunie, ac yn mynd allan i hel dail a gneud ffisig, ac eli a phethe felly. Mae o wedi deud bob amser fod gan Johnny wybodeth syfrdanol am lysie a meddyginiaethe. A mae 'nhad wedi bod â diddordeb erioed yn y pethe yne hefyd. Na, 'wrach 'ch bod chi'n methu hefo'r Indiaid, doctor; mae gynyn nhw hen hen wareiddiad. Ond mi gawn ni weld, 'n cawn, be fydd hanes 'nhad?'

*    *    *

. . . annelwig ydi unrhyw gof sy gen i cyn y diwrnod hwnnw, Huw.

Roedd yne saith ohonom ni fechgyn yn sefyll tu allan i'r tloty, dan oruchwylieth y Meistr, pan ddaeth Lady Latham yn ei cherbyd, a'r coetsmon yn ei lifre ac yn dal awene'r ddau geffyl llwyd. Y saith ohonom yn ein dillad carpiog, yn sefyll yn ddisgwylgar lonydd, ond roedd un ohonynt – hwnnw â'r gwallt melyn a'r llygid glas – yn gwenu, a fi oedd hwnnw. Os oedd yne gyfle i gael mynd o'r tloty, a hynny am byth, yr oeddwn am wneud fy ngore glas i gael fy newis. Gyrrwyd y cerbyd heibio inni yn araf, a Mrs Henry Latham yn craffu arnom.

"What is the name of the pretty little boy with the yellow hair?"

"Thomas Jones, Lady Latham."

"And how old is he?"

"We are not certain, ma'am, but we think that he is seven years old or thereabouts."

"I will send my man to collect him this afternoon."

"Thank you, ma'am."

Ac felly y bu. Ond nid y cerbyd y tro yma, ond merlen a thrap.

"Wyt ti'n siarad Cymraeg?"

"Ydw, syr."

"Dyne ddigon ar hynne; dwyt ti ddim yn deud 'syr' wrtha i. Wiliam ydw i, Marian ydi enw 'ngwraig i, a Twm wyt tithe. Ond os wyt ti'n cyfarch teulu'r Meistr, mae hynny'n wahanol. Rwyt ti'n deud 'Yes, Lord Latham' a 'Yes, Lady Latham' a 'Yes, my lord' a 'No, my lady' a 'Yes, sir' a 'No, ma'am', a chofia ddeud 'Master Richard' bob amser wrth y mab. Ond does yne ddim o hynny pan wyt ti'n siarad hefo ni. Dyna dy wers gynta di, a mae hi'n wers bwysig os wyt ti'n mynd i weithio yn Flaxen Hall. A phaid byth â'i hanghofio."

"Wna i ddim … Wiliam."

"Iawn, rydan ni'n dallt 'n gilydd, felly. Rŵan 'te, dos i nôl dy bethe, a mi gychwynnwn ni."

"Does gen i ddim byd i'w nôl, s… Wiliam."

"Dim?"

Ysgydwes fy mhen.

"I ffwrdd â ni, 'te. Stedda hefo fi yn y fan yma, a dal dy afel yn ochor y sêt. *Gee up,* Capten." Ac i ffwrdd â ni ar drot. Am y tro cynta erioed roeddwn yn teimlo fy mod yn rhydd; eiddo'r tloty fues i cyn belled yn ôl ag y medrwn gofio, a rŵan roedd fy ngwallt yn chwyrlïo yn y gwynt, a chwarddes. Roedd gen i dipyn bach o ofn y dyn mawr yma, ond roedd yne sŵn caredig yn ei lais o, ac yn sydyn teimles fraich gref amdana i'n dynn, a stwffies i'w gesail o.

"Wyt ti'n gwbod pam mae Lady Latham wedi dy gymyd di o'r tloty, Twm?"

Teimlwn yn rhy fodlon, yn rhy hapus i siarad, ac ysgydwes fy mhen.

"Wel, un plentyn sy gan y Lord a'r Lady, a Master Richard ydi hwnnw, a mae o dipyn bach hŷn na ti; mae o bron yn wyth oed. A mi rwyt ti wedi cael dy ddewis i fod yn gydymaith iddo fo, neu fel'ne dwi'n ei gweld hi. Ac os…"

"Wiliam?"

"Ia, Twm?"

"Be 'di cydymaith?"

"Wel, ia, rhyw fath o ffrind, rhywun sy'n mynd i fod hefo fo wrth iddo fo dyfu, rhywun sy'n mynd i chware hefo fo, dysgu darllen a sgwennu hefo fo, ond ei fod o fel gwas iddo fo hefyd. Ac os oes yne ddigon yn dy ben di, a dy fod di'n cofio dy le, does yne ddim rheswm yn y byd pam na fedri di gael gwaith am dy oes yn Flaxen Hall."

"Hefo ceffyle, fel chi, Wiliam?"

"Wel, nage, mwy fel gwas bach, a wedyn gwas lifre, neu fytlar."

Roedd hyn tu hwnt i mi braidd, ond roeddwn yn ddigon bodlon os oedd Wiliam am edrych ar f'ôl i.

"Ond y peth cynta sy'n mynd i ddigwydd iti ar ôl inni gyrredd adre, ydi tynnu amdanat a llosgi'r carpie yne, a thorri dy wallt di yn y gnec a dy molchi di'n lân drosot ti, inni gael bod yn siŵr nad oes yne ddim llau, na chwain, na llau pen arnat ti. Ac wedyn mi gawn ni hen ddillad oedd yn perthyn i Master Richard i ti."

Ond erbyn hyn roedd cynnwrf y dydd, a'r teimlad o ryddid a'r awyr iach, a'r teimlad o ddiogelwch hefo Wiliam yn fwy nag y medrwn i'i amgyffred. Roedd f'amrante i'n trymhau, ac o fewn eiliade roeddwn i'n cysgu'n drwm.

Wedi'r torri gwallt, a'r ymolchi, y cwbwl dan lygad craff Marian, a thra oedd hi'n fy sychu i, gofynnodd Wiliam, "Pa bryd mae dy ben blwydd di, Twm?"

"Dwi ddim yn gwbod."

"Ia, dyne oeddwn i'n feddwl. Rwyt ti'n sefyll yn y fan yma rŵan yn union fel y dest i'r byd yma, yn noeth a heb ddim byd. Mewn ffordd mi fedri di ddewis dy ben blwydd dy hun, a mi ddoth imi rŵan; fase waeth i ti ddewis heddiw – y pymthegfed o Awst. Be wyt ti'n ei feddwl o hynne? Does yne ddim llawer o bobol yn medru dewis eu pen blwydd eu hunen, wysti. A mi feder Marian a finne fod yn rhyw fath o fam a thad iti hefyd, achos hefo ni yr wyt ti i fyw."

Roedd Wiliam a Marian yn briod ers tair blynedd, ac yn ddiblant, ond wyddwn i ddim am hynny ar y pryd. Gweld cyfle i fod yn un o deulu, i gael tad a mam oeddwn i, rhywbeth na fedrwn i prin ddychmygu beth oedd o, ond rhywbeth yr oeddwn i wedi dyheu amdano erioed.

"Mi faswn i'n licio hynny," meddwn i, ac yn sydyn teimlwn ddagre'n llifo, a chydies yn dynn yn Marian, a'i chlywed hithe hefyd yn rhoi rhyw ochenaid fach od, ac yn sychu'i llygid.

Twm oedd f'enw i gan Wiliam a Marian a phob un o weision y tŷ. Doedd Mr Osmund y bytlar ddim yn medru siarad Cymraeg ac felly Tom oeddwn i gan hwnnw. Ond roeddwn yn cael f'enw Thomas yn llawn gan Lady Latham, yn enwedig pan oeddwn yn sefyll yn ei hymyl hi, ac yn barod i redeg negeseuon iddi pan ymwelai'r bobol fawr o dai mawrion Dyffryn Clwyd.

"What a treasure your little Thomas is!" "What a pretty boy he is!" "Where did you find such a lovely boy?"a glywn, a finne'n sythu mewn balchder yn fy lifre newydd. Pasio heibio cwestiwn felly y bydde Lady Latham; doedd yne ddim gair am dloty Llanelwy.

12

Mi fydde'n dibynnu a oedd hi'n dda rhyngddom ni ai peidio, p'un ai Tom neu Thomas oeddwn i gan Master Richard hefyd, ond y gwahanieth mawr oedd nad oeddwn i ddim yn cael anghofio o ble y cychwynnes i ganddo fo. A weithie mi ddefnyddiai Master Richard y geirie 'pretty boy' mewn rhyw ffordd sarhaus, ond rhyw gwmwl bychan iawn oedd hynny i mi ar y pryd. Doedd neb wedi trefnu dyletswydde pendant i mi, a mi gefes ddigon o amser i mi fy hun i gael chwilota pob twll a chornel o Flaxen Hall, o'r selerydd i'r croglofftydd, ar wahân i ystafelloedd Lord a Lady Latham a Master Richard.

Daeth y rhyddid i ben yn sydyn iawn pan benodwyd ysgolfeistr, Mr Arthurs, a Master Richard yn dechre cael gwersi am deirawr bob dydd. A dyna pryd y dealles beth oedd y rheswm penna dros ddod â mi i Flaxen Hall yn y lle cynta, sef i ddilyn y gwersi ochor yn ochor â Master Richard. Roedd y gwersi'n boen iddo fo, ond fel arall oedd hi i mi – pleser, a'r teirawr yn mynd heibio fel gwynt.

"Cofia di, Twm," meddai Wiliam wrtha i, "hyd yn oed os wyt ti'n mwynhau dysgu, paid â dangos dy hun yn well na Master Richard hefo'r gwersi. Fase pethe ddim yn dda petai o'n dechre meddwl dy fod di'n fwy peniog na fo. Na, mae'n rhaid iti ddangos dy hun yn ara deg, yn ddwl, os lici di, a dy fod yn cael pethe'n anodd i'w deall. Ymhob peth wyt ti'n ei neud, rhaid iti gofio na fedri di ddim dangos fod y gwas cystal â'i feistr. Mi ddeudes i wrthot ti y diwrnod cynta, a mi ddeuda i eto, mae'n rhaid iti gofio dy le. Ond iti gofio hynny mi ddôi di ymlaen yn reol. Anghofia hynny unwaith, a mi fyddi allan o Flaxen Hall cyn iti gael meddwl eilwaith. Dyna'r drefn, wysti. Does dim rhaid iti edrych mor ddigalon, Twm bach; nid deud wrthot ti am beidio dysgu'r gwersi ydw i, ond deud wrthot ti am beidio *dangos* dy fod yn dysgu, dyne'r cwbwl."

Doedd hynny ddim yn hawdd o gwbwl i ddechre, nes i mi sylweddoli fod Mr Arthurs yr ysgolfeistr wedi dallt yn iawn beth oedd mor drafferthus i mi, a'i fod o wedi dechre deud y drefn wrtha i'n gyson am bethe bach, ac yna byddai'n fy ngyrru i gornel y stafell i wneud gwaith ychwanegol. O hynny 'mlaen roeddwn i'n medru dysgu'r gwersi'n rhwydd, dim ond fy mod i'n gorfod diodde, os diodde hefyd, gwrando ar Mr Arthurs yn deud pethe megis "Dear me, Thomas, I will never make a scholar out of you, but things are very different with Master Richard", a "How many times do I have to remind you about the 'carry one' Thomas?" A mi weles Wiliam a Mr Arthurs yn sgwrsio wrth y stable tua'r amser yma, a'r ddau yn chwerthin yn arw, a Mr Arthurs yn deud, "Yes, he's as bright as a new pin, but we can't let on, can we?" a dwi'n meddwl fod Wiliam wedi deud rhywbeth yn ei glust o.

Martha oedd y gogyddes, dynes fechan dew, dew iawn yn wir, yn brysur o hyd ac yn llawen o hyd, ond yn rheoli'r gegin fel petai hefo gwialen ddur. Bydde'r morynion bach a'r is-gogyddion yn sgrialu i wneud eu gorchwylion, ond roedd yne lawer o hwyl yno hefyd, a finne i mewn ac allan o hyd hefo neges gan Lady Latham, neu i nôl llysie o'r ardd, neu rywbeth ar orchymyn Mr Osmund.

"Twm," medde Martha, "dwi wedi gofyn i Lady Latham, a mi rwyt ti i ddod hefo fi y prynhawn yma."

"I le 'dan ni'n mynd, Martha?"

"I hel dail llesol a phlanhigion, wel'di. Dwi wedi mynd yn brin iawn o rai ohonyn nhw, a mae'r gaea'n dod, a mi fydd isio ffisig ac eli neu rywbeth, yn ddigon siŵr. Dydw i ddim mor ystwyth ag y bues i, a be ydi diben coese ifanc fel sgin ti, heb 'n bod ni'n gneud defnydd ohonyn nhw, yntê? Mi fydd yn rhaid iti wisgo hen ddillad a hen sgidie am 'n bod ni'n mynd i chwilio penne'r cloddie a hwthio drwy'r mieri. Mi gychwynnwn ni toc ar ôl cinio. A gofyn i Wiliam a gei di fenthyg fforch, rhag ofn y byddwn ni isio codi gwreiddie."

A dyne'r pnawn cynta o chwilio am ddail, aeron, rhisgl a gwreiddie o bob llun a lliw.

"Sut ydech chi'n nabod yr holl blanhigion gwahanol, Martha?"

"Arfer, wysti. Mi ddysgodd Mam lawer iawn imi pan oeddwn i'n eneth fach, a dwi wedi cymyd diddordeb erioed. A wedyn, ar ôl iti ddysgu i be maen nhw da, dydi rhywun ddim yn anghofio. Rwyt ti dy hun yn gwbod os llosgi di hefo dalan poethion, bod rhwbio hefo dail tafol yn lleddfu'r llosg, ond mi allet ti rwbio dail Llysie Pen Tai a mi fydde rheini'n gneud yr un peth. Rwyt ti'n gweld, mae yne lawer iawn o blanhigion sy'n dda at wella afiechydon. Petait ti'n cymyd diddordeb, buan iawn y doeset ti i wbod am y Feddyges Las at iacháu clwyf, a Ffa'r Moch i gael 'madel â llau, a chant a mil o bethe felly. Chefes i erioed y cyfle i ddysgu darllen, Twm, ond dwi'n clywed dy fod ti'n dod ymlaen ar garlam, a dwi'n gobeithio y doi di i ddarllen y llyfr llysie sy gen i; mi fydde hynny'n help mawr i mi, ac yn ddiddordeb i tithe. Mi fydda i'n mynd ati heno i neud ffisig hefo rhai o'r dail ddaru ni hel y pnawn yma. 'Wrach taset ti'n gofyn i Marian, synnwn i fawr na faset ti'n cael dod yma i helpu."

Ar ôl y noson gynta honno o ddysgu sut i baratoi eli at y ddrewinen, a diferion i'r glust i atal pigyn clust, gan fod Martha'n un mor dda am egluro, roeddwn i wedi cael fy swyno'n lân.

Ac o hynny ymlaen, trwy gydol yr amser y bûm yn Flaxen Hall, y fi fydde'n helpu Martha hefo'r hel deiliach, a hefo paratoi pob math o drwyth, a diferion a ffisig ac eli. Roedd yne rywbeth yn famol yn Martha, yn ddeniadol iawn i hogyn ifanc, a chyn hir roedden ni'n benne ffrindie. Roedd Martha fel mam i bawb, o ran hynny, ac yn cael ei chydnabod fel un dda am ffisig, a llawer yn cerdded ati i gael gwellhad, a meddyginieth at hyn a'r llall. A phob mis am gyfnod yr oeddwn i'n cael potel fechan ganddi, a "Rho hwn i Marian" fydde'r neges.

Yr oeddwn i wedi bod yn Flaxen Hall tua blwyddyn, ac yn byw hefo Wiliam a Marian, pan ddywedodd Marian, "Wyt ti'n cofio'r diwrnod y dest ti aton ni i fyw, Twm, a bod Wiliam wedi deud y bydden ni'n dad ac yn fam iti?"

"Ydw, a finne'n deud y baswn i'n falch, a dwi wedi bod yn falch hefyd."

"Wel, balch neu beidio, mi rwyt ti'n mynd i gael brawd neu chwaer fach, toc iawn rŵan!"

Fedrwn i ddeud dim; dyma be oedd bod yn un o deulu o ddifri, cael brawd neu chwaer fach!

"A dwi'n credu mai ti ddoth â bendith inni." A dyma hi'n cydio'n dynn amdana i, gan wenu a chrio yr un pryd.

"Be oedd hi'n feddwl pan oedd hi'n deud hynny, Martha?" gofynnes y noson honno, pan oedden ni'n dau wrthi hefo'r ffisig.

"Wel, mae yne rai merched isio plant mor ofnadwy fel nad yden nhw'n medru cael, a mi roedd Marian yn un o'r rhai hynny, ond pan ddaethost ti atyn nhw mi aeth Marian i feddwl mwy a mwy amdanat ti, a llai am gael plentyn ei hun, a dyna fo, yn sydyn mae hi'n mynd i gael babi."

"Oedd y botel fach yne at hynny hefyd?"

"Wel oedd, mewn ffordd, ond y ti'n dod fel un o'r teulu wnaeth y gwahanieth mawr, ac nid y ffisig."

Doeddwn i ddim yn dallt hynny, ond roeddwn i'n andros o falch os oeddwn i wedi bod yn fendith – beth bynnag oedd hwnnw – ac yn enwedig fy mod i'n mynd i fod yn frawd mawr.

# Pennod 2

Roedd hi'n ddydd Sul heulog yn yr haf, a theulu a gweision Flaxen Hall wedi bod yn yr eglwys i wasaneth y bore. Gan ei bod hi mor braf, roedd Master Richard wedi penderfynu peidio mynd adre yn y cerbyd, ac roedden ni'n dau wedi oedi tu allan i'r eglwys ac yn meddwl sut y medren ni gael cangen o bren ywen i neud bwa saeth. Mae'n rhaid ein bod ni'n rhyw ddeg neu un ar ddeg oed ar y pryd. Ac felly'r oedden ni, yn cerdded yn ôl yn ara deg tua'r Hall, pan ddaeth chwech neu saith o hogie'r pentre i'n herio ni.

"Drycha ar rhein yn ei swagro hi o gwmpas. Pwy maen nhw'n feddwl ydan nhw?" medde'r mwya a'r cryfa ohonynt.

"What are they saying, Tom?" gofynnodd Master Richard.

"What are they saying, Tom? What are they saying, Tom? What are they saying, Tom?" medde'r criw i gyd hefo'i gilydd, yn rhyw hanner canu ac yn dechre'n gwthio ni'n dau, ac yn tynnu yn ein dillad. Yn sydyn dyna'r hogyn mawr yn cydio yng nghrys Master Richard ac yn rhoi plwc sydyn nes fod y botyme'n rhigo.

"Be wyt ti'n feddwl o hynne, Tom?" medde fo, gan droi ata i, ond yn dal ei afel yn Master Richard.

"Mi fydd Lord Latham ar 'ych hole chi, a'r cwnstabl hefyd, a mi cewch chi hi am hyn," medde finne, ac yn sydyn mewn hanner ofn a hanner gwylltineb mi roddes ddwrn yn ei wyneb o nes oedd ei wefus wedi hollti, a'r gwaed yn llifo. Pan welodd Master Richard hyn, mi neidiodd ynte ymlaen a tharo un arall o'r bechgyn ar draws ei wyneb. Yna roedd hi'n sgarmes o ddifri; roedden ni'n gweiddi ac yn taro ac yn crio ac yn dyrnu, yn rowlio ar hyd y llawr, a'r dillad yn rhwygo, a'r penne glinie'n crafu'r ddaear, ac yn cymyd sylw o neb na dim ond sut i ffustio pa un bynnag ohonyn nhw oedd yn digwydd dod o flaen 'n llygade.

Yn sydyn dyna lais: "Be sy'n digwydd yma?" John Parry, Tŷ Coch, un o denantiaid Flaxen Hall oedd yno. Rhoes ei ffon yn ddigon eger ar gefn un o'r bechgyn, ac ar amrantiad roedd pob un ohonyn nhw wedi rhedeg ac wedi diflannu.

"What happened, Master Richard?"

"The village boys set about us, Mr Parry, but Tom and I showed them what for, didn't we, Tom?" gan droi a gwenu arna i.

"I think that I had better come with you to explain to Lord Latham." Ac felly y bu. Wedyn yr oedd yn rhaid i mi a Master Richard adrodd am sut y dechreuodd y sgarmes, a sut y bu hi wedyn, ac erbyn inni ddweud yr eilwaith wrth Lady Latham, yr oeddem yn teimlo yn ddau arwr o ddifri.

"Would you recognise these ruffians, John Parry? I think that it would be better to put the matter in the hands of the law."

"If I might make a suggestion, Lord Latham. If you call in the constable, it could well make the village boys into some sort of heroes, whereas as it is, they are going to find it difficult to explain how it was that your two young men were giving out a lot more punishment than they were taking from the six, or was it seven of them. And when their parents find out who they had attacked, there will be more punishment in store for them. And I think that they will have a very healthy respect for Master Richard and young Tom here from now on."

"I will think about what you say, John Parry, and decide upon the matter later. Thank you."

"I was very glad to be of service, Lord Latham."

Roedd hi gryn dipyn yn hwyrach ar Lord a Lady Latham a Master Richard yn cael eu cinio, ac yn hwyrach fyth arnom ni'n cael bwyd. Roedd angen i Martha drin y briwie a'r cleisie, a hithe yn ei helfen hefo eli at y naill a'r llall.Yna molchi a gwisgo dillad taclus, ac ailadrodd yr hanes wrth y morynion a'r gweision yn y gegin, ac wedyn wrth Wiliam a Marian, a'r stori'n ennill rhyw gymint bob tro. Erbyn hyn, wrth gwrs, roeddwn yn dechre teimlo'n stiff ac yn brifo drosta i, ond yn credu bod y profiad o fod yn arwr yn werth cryn dipyn o boen.

Ni wnaed dim mwy ynglŷn â'r amgylchiad yn swyddogol, ond y bore wedyn galwyd ar Master Richard a minne i fynd i stydi Lord Latham. Dim ond ar ôl bod yn fechgyn drwg y byddem ni'n arfer cael ein galw i'r fan honno, ac roedd Master Richard a minne'n crynu braidd mewn penbleth ac ofn yn sefyll o'i flaen.

"Now then, boys," meddai Lord Latham, a rhyw awgrym o wên ar ei wyneb, "you acquitted yourselves well yesterday. But I have decided that you need to be given some lessons in the noble art of self-defence. So from today Mr Arthurs will teach you for only two hours in the morning, and then Wiliam will teach you to box for a further hour."

Roedd Master Richard yn wên o glust i glust wrth feddwl y byddai'n dysgu ymladd hefo dyrne; dwi'n meddwl ei fod o wedi mwynhau ei hun yn ofnadwy pan oedd o'n ymladd hefo bechgyn y pentre, a chan ei fod yn cael osgoi awr hefo'r llyfre, roedd o ar ben ei ddigon. Mae'n rhaid cyfadde 'mod inne'n edrych ymlaen at y bocsio hefyd.

Yn y sgubor fawr roedden ni'n mynd i gael y gwersi bocsio; roedd Wiliam wedi clirio'r llawr dyrnu, ac wedi rhoi tywod ar lawr yn barod. Ac yn crogi wrth y trawst yr oedd yne sachaid lawn o haidd yn troelli'n araf, a honno oedd i fod yn bwn dyrnu. Roeddwn i'n gweld honno'n debyg i gorff bob amser, yn enwedig gan fod dwy glust y sach yn sefyll i fyny.

"Now, Master Richard and Twm, we are going to do this properly," medde Wiliam. "When I was in London working for the Honourable John Fitzpatrick, I used to go with him for boxing lessons with Daniel Mendoza, and later on with Gentleman Jackson, the two finest boxers in the world. So I have done a bit, and I know what I'm talking about."

Dros yr wythnose a'r misoedd nesa mi fu Master Richard a minne'n dysgu pwysigrwydd bod yn gytbwys ar ein traed: "Fedri di ddim rhoi pelen i neb na dim, os nag wyt ti'n cadw dy gydbwysedd"; a sut i symud yn gyflym ar ein traed: "Bod yn ystwyth a chwim ar dy draed, mae hynny'n ffwndro'r rhai trwm ac ara"; a sut i roi pwnied cyflym hefo'r chwith, a sut i ddilyn hefo'r dde. Roedden ni'n dau yn llaw ddethe, felly dysgu bod isio troed chwith a dwrn chwith ymlaen, a blaene'r ddwy droed yn gwynebu mymryn i'r dde, tra bo pwyse'r corff fwy ar y droed dde, a mymryn o blyg yn y ddwy ben-glin. Gweithio'n galed hefo'r pwn dyrnu i ddysgu rhoi'n pwyse llawn y tu ôl i'r ddyrnod, ac i galedu'r dyrne, gan mai dim ond maneg dene, dene roedden ni'n ei gwisgo. Peth arall y mynnai Wiliam oedd inni ymarfer mewn sgidie ysgafn, ysgafn, neu hyd yn oed yn droednoeth: "Rwyt ti'n medru cadw cydbwysedd yn well, cadw dy draed yn well, wrth neud felly." Roedd Master Richard yn mwynhau'r ymarfer wedi'r wers, pan oedden ni'n sgwario at ein gilydd, a Wiliam yn deud ei fod o'n well ymladdwr na fi, a minne efalle'n well bocsiwr. Yn wir roedd Master Richard yn mwynhau gymint fel nad oedd o ddim yn sylwi fod Wiliam yn defnyddio Cymraeg weithie, ac ar ôl rhyw chwe mis roedd o'n siarad cryn dipyn o Gymraeg.

"Master Richard," medde Wiliam ryw ddiwrnod, "do you remember the day that the village boys had a fight with you, and you had to ask Twm here what they were saying, because they spoke Welsh? Fase hynny ddim yn digwydd heddiw. You'd understand them today, am ein bod ni'n siarad Cymraeg a Saesneg yn y sgubor yma!"

"Chi'n iawn, Wiliam. Fi wedi dysgu Cymraeg wrth boxing, a dim yn gwbod," yn rhyw hanner a hanner o falchder a syndod.

Ac o hynny ymlaen fuodd yne fawr ddim Saesneg yn y sgubor, a mi ddaeth Master Richard a minne'n fwy o ffrindie, hefyd. Ond dros y blynyddoedd roedd y bocsio'n mynd yn fwy caled; roedd yne ddyrnu caletach, mileiniach, ond Wiliam yno o hyd i gadw chware teg, ac i gadw'r un rheol a osododd o yn y dechre i gyd, sef dim taro at y gwyneb. Roedd hynny'n hollol dderbyniol gen i, ond roedd Master Richard yn ei chael hi'n anodd peidio gyrru chwith at y trwyn weithie. Roeddwn i ran amla'n medru osgoi honno, neu gymyd y ddyrnod ar fy mraich, ond un diwrnod weles i mo'r chwith yn dod, a'r peth nesa roeddwn i wedi cael dwrn yn fy llygad. Ymhen eiliade roedd y ddau ohonom yn ffustio o ddifri – i'r corff, i'r senne, i'r ên, i'r pen; roedden ni'n gweu o gwmpas ein gilydd, y ddau ohonom yn deall symudiade'r llall mor dda gan ein bod wedi ymarfer cymint hefo'n gilydd, yn ffugio hefo'r chwith ac yn taro hefo'r dde. Roedd bachiad dde Master Richard yn anodd iawn i'w osgoi, a mi roedd o'n medru gyrru honno drwy f'amddiffyn i yn rhy amal o lawer. Roeddwn i'n ymwybodol fod Wiliam yno yn troi o'n cwmpas ni fel reffari, a phan welodd o ein bod ni'n dechre chwythu'n o galed, camodd rhyngthon ni gan ddeud, "Reit, bois, dyna ddigon, 'dach chi wedi cael gweld be ydi ymladd; ysgydwch ddwylo rŵan, rhag i chware droi'n chwerw."A dyna ysgwyd dwylo, a rhyw wên fach gam gan y naill a'r llall ohonom.

"Mi fyddet ti, Twm, yn edrych yn dda yn y *ring*," oedd geirie Wiliam i mi'r noson honno ar ôl cyrredd y tŷ, "ond mewn ffeit o ddifri fyddet ti ddim yn para dim bron yn erbyn Master Richard.

Mae yne elfen ymladdwr yn Master Richard nad ydi o ddim ynot ti. Mae o'n mwynhau cael codi dyrne, tra mwynhau'r symudiade wyt ti. A dwi'n deud wrthot ti heddiw, na wnei di byth ymladdwr nes y byddi di wedi gweld caledi; mi fydd isio grym argyhoeddiad y tu ôl i'r dyrne yne cyn y gwnei di ymladdwr."

Wrth i'r blynyddoedd fynd heibio, roedd yne lai a llai o wersi gan Mr Arthurs, a mwy o orchwylion i mi yn y tŷ, a weithie roeddwn i'n cael amser i helpu Wiliam yn y stable a hefo'r ceffyle a'r cerbyde, a helpu'r gof, Ifan Dafis, weithie hefyd, yn chwythu'r fegin fawr. Roedd o'n pedoli ceffyle ysgafn oedd yn tynnu'r cerbyde, a'r ceffyle marchogeth, a'r ceffyle gwedd oddi ar y ffarm, ar wahân i unrhyw waith haearn oedd isio'i neud o gwmpas yr Hall neu'r ffarm. Ond y pnawn yma roedd Black Jack, y ceffyl gwedd mawr du, wedi colli pedol. Roedd yn sefyll tua deunaw dwrn, ac roedd rhywbeth wedi ei gynhyrfu. Beth bynnag, roedd o'n cicio'i gylche braidd yn afreolus, ac Ifan wedi cael llond bol ar ei gampe. "Stand up, Jack!"gwaeddodd, a Black Jack yn dal i symud ei draed yn nerfus, a'r certmon yn cael trafferth i'w ddal o'n llonydd. "Stand up! Damio di." Yn sydyn dyma Ifan yn colli ei dymer yn lân, yn rhoi'r efail a'r bedol yn ôl ar yr einion, ac yn dod yn ôl at Black Jack a'i daro fo â'i holl nerth hefo'i ddwrn tu ôl a dipyn bach yn is na'i glust. Roeddwn i'n gweld coese Black Jack yn gwegian, ac i lawr â fo fel tase Ifan wedi'i ladd o. O fewn munude roedd o'n codi yn ôl ar ei draed ond yn crynu drwyddo.

"Fydd o byth yr un fath, wysti," medde Ifan, gan godi troed Black Jack ar ei lin, a gosod y bedol, pum hoelen ar y ochr allan a pheder ar yr ochr i mewn, a'u clensio, a thacluso.

Roeddwn i'n sefyll yn y fan a 'ngheg ar agor, yn edrych bob yn ail ar y ceffyl anferth ac ar Ifan y go'.

"Be 'dach chi'n feddwl, Ifan, na fydd o byth yr un fath?"

"Ia, wel, dwi ddim yn gwbod, ond mae o felse'r cythrel wedi mynd allan ohonyn nhw ar ôl cael dyrnod fel'ne. Anamal iawn y bydda i'n gneud, wysti, ond roedd yr hen geffyl du yn gofyn amdani heddiw."

Roedd Wiliam a minne wrthi'n carthu'r stabal, a minne, mae'n debyg, yn dechre dod yn fwy cyhyrog ac yn mwynhau dipyn o waith caled. "Tyrd i'r ochor yma i roi sbel i mi, Twm," medde Wiliam, a sythodd a mynd i bwyso ar y wal, gan gadw'i lygad arna

i. Ar ôl rhyw dri neu bedwar munud, dyne fo'n deud, "Rwyt ti'n gweithio'r un mor rhwydd hefo dy law dde ymlaen ar y fforch ag wyt ti â dy law chwith ymlaen." Doeddwn i 'rioed wedi meddwl am y peth, ond roedd hynny'n eitha gwir. "Llaw chwith ymlaen wyt ti wrth focsio, am mai felly dwi wedi dy ddysgu di, ond dwi'n meddwl y medret ti fod yn *southpaw* petait ti isio. Mi adewn ni'r carthu yma; tyd hefo fi i'r sgubor." Ac yn y fan honno y buon ni am yr awr nesa yn ymarfer bocsio hefo llaw dde ymlaen.

"Mae hyn yn teimlo'n andros o od i mi, Wiliam."

"Ydi, yn y dechre fel hyn, ond dalia ati, ac ar ôl 'chydig o amser mi fydd yn teimlo'n hollol naturiol ac esmwyth, a mi fyddi'n medru newid dy osodiad yn ôl ac ymlaen fel y mynni di, a ffwndro mwy fyth ar dy wrthwynebydd."

"Wiliam?"

"Be sy'n dy boeni di, Twm?"

"Mi weles i Ifan y go' yn rhoi dyrnod i Black Jack ddoe. Mi aeth ei goese fo'n wan, a mi aeth i lawr yn hollol ddiymadferth, a phan gododd o wedyn, roedd o'n iawn ond ei fod o ar gryn i gyd."

"Ia, dwi wedi'i weld o'n gneud hefyd, ond cofia di fod dyrnod gan Ifan fel dyrnod hefo gordd; mae o mor rhyfeddol o gry a chaled hefyd. Tase gen ti ddyrnod fel Ifan mi faswn i'n gneud ymladdwr ohonot ti."

Roeddwn i wedi bod yn Flaxen Hall am ddeng mlynedd, a chyfri yn ôl fy mhen blwydd arbennig i fy hun, felly mae'n rhaid fy mod i tua dwy ar bymtheg oed, pan ofynnodd Marian i mi ryw fin nos, "Twm, dwi'n mynd i ofyn ffafr fawr. Rwyt ti'n gwbod fod dy frawd Harri bron yn naw oed, a mae'r ddau ohonoch chi'n tyfu ac isio mwy o le, a dyma'r ffafr: a faset ti'n fodlon symud i gysgu i'r llofft allan? Fydde dim byd arall yn newid, dim ond dy fod di'n cael mwy o le i ti dy hun – a Harri hefyd." Wyddwn i ddim be i'w ddeud. Wrth gwrs, doedd Harri ddim yn frawd iawn i mi, ond roeddwn i wedi edrych arno fo o'i enedigeth fel brawd bach. A rŵan roeddwn i'n gorfod mynd i gysgu i'r llofft allan i neud lle i'r brawd bach hwnnw. Ond be fedrwn i ddeud? Roeddwn i'n lwcus ofnadwy i fod wedi cael bod yn un o'r teulu o'r dechre.

"Mi fydd hynny'n iawn gen i, Marian," meddwn i, gan obeithio nad oedd y siom ddim i'w glywed yn 'yn llais i.

"Wysti, Twm, rwyt ti'n hen gariad. Hebddot ti fasen ni ddim

wedi cael Harri, a mi roeddwn i'n deud neithiwr wrth Wiliam na fydde ddim o bwys gen ti. Mi wnawn ni'n siŵr y byddi di'n ddigon cyfforddus ac yn ddigon cynnes hefyd. Diolch iti, Twm."

A dyna sut y bu imi fod â'n llofft fy hun. Petai Marian yn gwbod be oedd i ddilyn, 'wrach na fydde hi ddim wedi gofyn imi symud allan.

Tua Calan Gaea mi ddaeth yna wyneb newydd i'r Hall, yr is-hawscipar newydd, Miss Betsan. Roedd hi'n dal ac yn hardd, a gwallt du fel y frân yn disgyn i lawr ei chefn, a mae'n rhaid deud fy mod i wedi syrthio amdani o'r munud cynta. Mi roedd yne hen siarad yn y gegin, pam oedd isio dwy hawscipar a'r Hall wedi rhedeg yn berffeth esmwyth dros y blynyddoedd hefo dim ond un, ac o ble roedd hi wedi dod, a pham oedd hi'n cael stafell iddi hi ei hun – ia, yn enwedig pam oedd hi'n cael stafell iddi hi ei hun. A chodi ael yn arw wrth ofyn hynny. Mi ddalltes i fod yne rywbeth tu cefn i'r cwestiyne yma, ac ystyr i'r codi aelie, ond be? Roeddwn i'n ddigon ifanc a diniwed bryd hynny.

Mi fydde hi'n fis Ebrill ne'n fis Mai a minne'n glanhau'r arian i Mr Osmund, pan ddaeth Miss Betsan i mewn i'r stafell fach ata i. Prin oeddwn i wedi siarad hefo hi o gwbwl ers pan ddaeth hi i Flaxen Hall, dim ond edrych arni o bell a rhyfeddu. "Dydan ni ddim wedi cael llawer o gyfle i gael dod i adnabod ein gilydd, yn naddo Twm?" medde hi.

"Naddo, Miss Betsan," atebes inne, gan deimlo fy hun yn cochi, a 'nghalon yn curo fel gordd, bron torri'n senne i.

"Mi faswn i'n licio cael dod i dy nabod di'n well, Twm. Faset ti'n hoffi hynny?" a chyffyrddiad fel pluen ar fy ngwallt.

"O! baswn, Miss Betsan!" O! bobol annwyl, baswn! Ond roeddwn i fel llo, yn methu siarad, yn methu meddwl bron.

"Dyna ni, ynte. Rwyt ti'n gwbod pa un ydi ffenest 'n llofft i." Gwbod, oeddwn; 'doeddwn i wedi bod yn syllu ar honno bob nos am fisoedd? "Pan weli di gannwyll yn symud ar draws y ffenest ddwy waith, tyd di at ddrws y gegin, a mi fydd Eluned, y forwyn fach, yno i agor y drws iti, ac i ddod â ti i fyny i'r stafell. Cofia, cyfrinach rhyngddot ti a fi ydi hyn; does neb arall i wbod." Cyffyrddiad pluen ar 'y moch i, ac i ffwrdd â hi.

Dwi ddim yn meddwl y buodd yne gystal sglein ar yr arian erioed!

"You've really worked hard on these, Tom," medde Mr Osmund. "I find it a relaxing job, and I let my mind wander. Do you find that, Tom?"

"No, Mr Osmund, I mean yes, Mr Osmund. I was thinking of other things." Petai o ddim ond yn gwbod!

Fedrwn i ddim gorffen swper yn ddigon buan i fynd i fyny i'r llofft allan. Dwi'n siŵr fod Marian yn methu dallt. A syllu ar y ffenest wnes i, nes ei bod hi wedi hen dywyllu, a'r Hall i gyd mewn tywyllwch, a'r siom nad oedd yne ddim sôn am gannwyll. Breuddwyd oedd y cyfan? Oedd Miss Betsan wedi dod i mewn ata i? Oedd hi wedi gofyn imi fynd i fyny i'w stafell hi? Syrthies i gysgu mewn siom a dryswch.

Roedd y diwrnod canlynol yn llusgo'n annioddefol; dim golwg ar Miss Betsan, dim arwydd o unrhyw fath gan Eluned.

"Be sy'n bod ar yr hogyn yma heddiw?" gofynnodd Martha. "Mae o fel petase fo mewn breuddwyd drwy'r dydd. Be sy'n bod, Twm?"

"Dwi ddim yn gwbod, Martha. Ddaru mi ddim cysgu'n dda o gwbwl neithiwr." Roedd hynny'n wir, beth bynnag.

"Taswn i ddim yn gwbod yn well, mi faswn i'n deud dy fod di mewn cariad."

Roeddwn i'n teimlo 'moche'n cochi, a mi planes hi am y drws.

Ond y noson honno roedd y gannwyll yn symud yn y ffenest! Eiliade'n ddiweddarach roeddwn i wedi gwisgo'r sgidie bocsio ysgafn, ac wedi sleifio fel cysgod at ddrws y gegin, a chael hwnnw'n gilagored.

"Ffor' hyn," sibrydodd llais yn fy nghlust. "Cydia yn 'yn llaw i, a phaid â gneud sŵn."

Dros y misoedd nesa mi ddois i nabod Miss Betsan yn dda. Roeddwn i'n ddysgwr cyflym, yn mwynhau yr addysg! Do, mi ddois i nabod Miss Betsan yn dda. Yn dda iawn. Yn rhy dda, mae'n debyg, ond fyddet ti ddim yn dallt hynny, Huw.

Roedd gan Martha le i gwyno amdana i o ddifri yn yr wythnose nesa. Rhwng fy ngwaith y dydd, a helpu Wiliam fin nos, ac ymarfer bocsio hefo Master Richard, a cholli cwsg unwaith a dwywaith yr wythnos, roeddwn i'n hongian uwchben 'y nhraed y rhan fwya o'r amser.

Roedden ni wrthi'n berwi traed llo bach oedd yn farw ar ei

enedigeth, er mwyn inni gael glud i neud eli at doriade, dim ond ni'n dau, pan ddywedodd hi, "Twm, 'dan ni'n ffrindie ers deng mlynedd a throsodd; ia, er 'y mod i gymint yn hŷn na ti, 'dan ni'n ffrindie. A mae gen i isio iti wrando ar be dwi'n ddeud wrthat ti. Dwi'n gwbod dy fod yn cerdded y nos at y Miss Betsan yne. Na, paid â dadlu, mi fedrwn i ddeud wrthot ti i'r diwrnod pryd yr est ti ati am y tro cynta. Ond gwranda di arna i, mae honne'n ddrwg. Mae hi'n ddrwg drwyddi draw. Mae hi'n hel dynion ati fel mae gast sy'n cwna yn hel cŵn. Paid â meddwl mai ti ydi'r unig un. O! na, mae Master Richard yn cerdded ati, a mae hi'n mynd i lawr at Lord Latham. Mi rydech chi o'i chwmpas hi fel gwenyn ar grwybr mêl. Mi rwyt ti'n ifanc ac yn ddibrofiad, ond cred ti fi, mae honne'n dy arwain di gerfydd dy ... wel, gwranda di arna i, mi rwyt ti'n mynd i ddod i helynt ofnadwy os na thendi di." Roedd Martha wedi cynhyrfu drwyddi. "Cer o 'ngolwg i, Twm; rwyt ti'n gwbod fod gen i dipyn o feddwl ohonot ti, ond mae'r busnes yma wedi f'ypsetio'n lân. Wnawn ni ddim mwy hefo'r ffisig 'ma heno. Cer o 'ma, wir. Ond cofia, os wyt ti isio help, a dwi'n dechre ame y byddi di cyn bo hir iawn, tyrd yn syth ata i. Paid ti â meddwl mynd at neb arall. Cer rŵan."

Ond roedd y gannwyll yn y ffenest eto'r noson honno. Ac i fyny â fi fel gwyfyn at y fflam.

Doeddwn i ddim yn credu popeth oedd Martha wedi'i ddeud. Neu doeddwn i ddim am gredu. Ond wrth ddod i lawr y grisie, roedd Eluned yno i gloi'r drws ar f'ôl i.

"Twm," sibrydodd, "wyt ti'n gwbod bod yne rai erill yn mynd i weld Miss Betsan, yn'dwyt? Dwyt ti ddim yr unig un. A does dim rhaid iddi hi fod yr unig un i ti, chwaith, cofia." Roedd hi mor agos fel bod ei gwefuse hi'n cyffwrdd 'y nghlust i wrth sibrwd, a'i dwylo hi'n cyffwrdd 'y ngwallt i. Ac allan â fi.

Ydi pob merch fel hyn? Roedd un yn fwy na digon i mi.

Weles i mo'r gannwyll am dair noson, a ches amser i feddwl. Os oedd Martha'n iawn, a phetai Lord Latham yn dod i wbod, fydde hi ddim yn dda arna i. Ond pan weles i'r gannwyll y noson wedyn, roeddwn i'n fwy na pharod i fynd. Roedd Eluned wrth y drws, ac yn sefyll yn agos iawn ac yn sibrwd yn 'y nghlust i, "Wyt ti wedi meddwl am be ddeudes i wrthot ti?"

Roedd Miss Betsan yn crio pan es i i mewn i'r llofft. Yn crio ar y gwely.

"Be sy'n bod, Betsan? Paid â chrio. Be sy'n bod?" Chefes i ddim ateb, dim ond ochenaid ar ôl ochenaid. "Dywed wrtha i, be sy'n bod?"

"Twm, rwyt ti wedi cael dy ffordd hefo fi ar hyd yr amser, a rŵan dwi'n mynd i gael babi! Be wnawn ni? Mi fydd yn rhaid inni briodi."

"Pam wyt ti'n deud hyn wrtha i, Betsan? Maen nhw'n deud yn y gegin bod yne fwy na fi yn cael dod yma!" Dwi ddim yn meddwl y bydde Daniel Mendoza ei hun wedi gweld honne, ond mi teimles i hi, yn gelpen galed ar 'y moch, nes oedd 'y mhen i'n canu.

"Pwy sy'n deud pethe fel'ne? Y ti ydi tad y babi! Y ti! Y ti! Y ti! A mi fydd yn rhaid inni briodi."

Yna, closiodd ata i a deud, "Dwi wedi bod bron â mynd o 'ngho ar hyd yr wythnos dwytha yma. Doeddwn i ddim yn meddwl bod yn gas wrthot ti, Twm! Ddim wrthot ti, Twm. Dwi'n dy garu di, Twm. Rwyt ti wedi bod mor ffeind wrtha i, a mi rydan ni'n edrych mor dda hefo'n gilydd – dy wallt melyn di a 'ngwallt du i – mi fydd pawb yn rhyfeddu atan ni yn y briodas!"

Fedrwn i ddim meddwl be i'w ddeud, dim ond meddwl am be ddeudodd Martha, a meddwl nad oedd Miss Betsan ddim ond yn cymyd arni hefo fi.

"Mae'n rhaid imi gael amser i feddwl," meddwn i o'r diwedd, "a dwi'n meddwl y bydde hi'n well imi fynd rŵan."

Chefes i erioed noson debyg i'r noson honno. Troi a throsi, troi a throsi drwy'r nos heb gael dim gole ar bethe. Dim ond fy mod am fynd at Martha i gyfadde'r holl helynt, a gofyn iddi hi beth oedd y peth gore i'w neud.

"Wel, Twm bach!" medde hi. "Roeddwn i wedi ame pa ffordd yr oedd y gwynt yn troi, achos mi ddaeth ata i am ffisig, ffisig helynt merched nad wyt ti ddim yn gwbod dim amdano, a mi ddaru mi ame amser 'ny. A mi ddoth yr helynt yn gynt nag oeddwn i wedi meddwl, ond mi ddeudes i, on'do? Dynes ddrwg ydi hi, a phaid ti â meddwl ei phriodi hi; chei di ddim ond helynt. A beth bynnag, pwy ŵyr pwy ydi tad y babi; mi alle fod yn unrhyw un o dri ne' bedwar y medra i feddwl amdanyn nhw. Na, mae'n rhaid iti fynd i ffwrdd, a hynny cyn gynted fyth ag y medri di. Mi fydd hi'n chwith ofnadwy gen i ar dy ôl di, a mi fydd Marian yn torri ei chalon, a Wiliam hefyd, heb sôn am Harri. Mi ddoist ti â bendith dderbyniol iawn i Marian, a wna'n nhw byth anghofio hynny." Bu'n ddistaw am ychydig, ac wedyn, "Dydi'r fendith ddim mor dderbyniol gan y Betsan yne, yn nag ydi?

"Paid â mynd â dim dillad o'r Hall yma; dim byd, cofia, ne' mi fedran nhw ddod ar dy ôl di am ddwyn. Mi gei di ddillad gan Wiliam, dwi'n siŵr; mi a' i drosodd at Marian rŵan, i dorri'r garw. Cer di 'mlaen hefo dy waith, a tria gymyd arnat fod popeth yn iawn, nad oes yne ddim byd o'i le. Ond mae'n rhaid iti fynd heno, liw nos, a bod wedi mynd ymhell o gyrredd pawb cyn bod neb yn sylwi nad wyt ti ddim ar gael. Paid â mynd nes y bydda i wedi cael rhywbeth iti fynd hefo ti. Dwn i ddim be i'w neud hefo ti, wir, Twm, a fydda i ddim yn gwbod be i'w neud hebddot ti, chwaith, yn siŵr." Roedd ei gên hi'n dechre crynu, ond trodd ar ei swdwl ac allan â hi. Doedd fy ngwefuse inne ddim dan reolaeth perffaith, chwaith.

Roedd olion dagre ar wyneb Marian. "Arna i mae'r bai am hyn i gyd. Petaswn i heb ofyn i ti symud i'r llofft allan, fase 'ne ddim o hyn wedi digwydd. Yr hen eneth ddigywilydd yne! Yn dy ddenu di!"

Doedd gen i ddim i'w ddeud, ond meddwl nad oedd y bai i gyd ddim ar Miss Betsan, chwaith; doeddwn i ddim yn hollol ddieuog. Ond euog neu ddieuog roeddwn i'n gorfod gadel cartre, a gadel Marian a Wiliam oedd wedi bod fel tad a mam imi, a gadel fy mrawd bach, a dyna pryd y sylweddoles i beth oedd y canlyniade. Roeddwn i'n gorfod gadel heno, fy hun, yn y nos, i fynd i rywle, pwy ŵyr pa le, heb obaith o ddod yn ôl. Hyd yn oed yn y tloty roedd yna fechgyn erill, ond heno mi fyddwn ar fy mhen fy hun, heb neb, am y tro cynta erioed.

"Twm," medde Wiliam, "mae beth bynnag sydd wedi digwydd, wedi digwydd. Petait ti'n trio aros yma, fydde Lord Latham ddim yn hir yn dy symud di, unwaith y bydde fo'n meddwl dy fod ti wedi bod yn pori yn yr un cae â fo, a phwy ŵyr be fydde'r rhesyme fase fo'n eu rhoi... Na, mae'n well iti fynd heno. Mi gei di hen ddillad gen i, a sach i gario dy bethe, er na fydd gen ti ddim llawer. Rwyt ti i fynd i weld Martha cyn cychwyn, a wedyn mi wna i dy hebrwng di ar dy ffordd."

Roedd Martha'n disgwyl amdana i, a mi gydiodd yna i'n dynn, a 'ngwasgu.

"Mi fydd hi'n o chwith hebddot ti, Twm. Fydd yne neb i gymyd dy le di hefo hel dail a pharatoi ffisig, a fydd gen i neb i sgwrsio am blanhigion, neb i gymyd diddordeb hyd yn oed. Paid ti ag anghofio y pethe wyt ti wedi'u dysgu, achos mae gen ti wybodeth nad ydi o ddim ar gael i lawer, cofia. Dwi wedi penderfynu rhoi pot o eli gwella briwie i ti – 'wrach y cei di ddefnydd o hwnnw – a'r llyfr llysie. Rwyt ti'n medru darllen hwnnw, a cha i neb eto i'w ddarllen o imi, a mi gei di feddwl amdana i pan fyddi di'n cymysgu ffisig. Cofia amdana i." Ac allan â hi, heb roi cyfle imi ddeud gair, petawn i wedi medru. A fedrwn i ddim.

Y llyfr llysie! Y trysor mawr, a Martha'n rhoi hwnnw i mi. Sut y medrwn i siarad!

Cydio'n dynn yn Marian, dagrau'n agos iawn rŵan, ac allan â Wiliam a minne i'r nos.

"Gwranda, Twm, a gwranda'n ofalus. Dwi wedi deud ar hyd yr amser mai bocsiwr wyt ti ac nid ymladdwr, on'do? Ac os ydw i'n dallt y natur ddynol, rwyt ti'n mynd i gael ambell i helynt. A wysti pam? Yn syml, am dy fod ti'n olygus, a dydi dynion yn gyffredinol ddim yn hoffi gweld dynion erill golygus, ond mae merched ar yr ochor arall yn gwirioni arnyn nhw. Wel, dyne ti Miss Betsan, heb edrych ddim pellach! Dwi wedi clywed Master Richard yn dannod 'Pretty boy' iti, on' do? Rwyt ti'n mynd i gael hynny, a mwy, llawer mwy. A mae gen ti wallt melyn cyrliog, a mae hwnnw'n tynnu sylw. Rwyt ti'n mynd i gael sgarmes ar ôl sgarmes, a mi fydd rhaid iti edrych ar ôl dy hun.

"Mi fase Master Richard yn llawer mwy abal i edrych ar ôl ei hun, ond mi fydd yn rhaid i mi egluro rhai pethe i ti. Paid â bod mor ddiniwed â meddwl fod pawb yn chware'n deg – gwranda ar y tri pheth yma. Yn gynta, paid â meddwl y bydd dynion yn gwrtais ac yn disgwyl am arwydd gan rywun arall cyn cychwyn ymladd. O, na! Rhuthro i dy gael di dan anfantais, fel tarw'n rhuthro. Yr ail beth, be mae dyn mawr o gorffoleth yn ei neud ydi cydio â'i ddwy fraich amdanat ti, a gwasgu fel arth nes bod dy senne di ar dorri, a dy fod yn methu cael dy wynt. A'r trydydd peth, watsia'r traed. Os ydyn nhw'n gwisgo sgidie trymion, eu tric nhw ydi cicio; ia, cicio fel ceffyl – dy goese di, dy beneglinie di, ac unwaith y maen nhw'n dy gael di i lawr, cicio dy senne di a dy ben di. Os byddi di byth yn gweld ei bod hi'n debyg o ddod yn ffeit, gwna dy ore i drio'ch bod chi'n ymladd yn nhraed 'ch sane. Gwylia di'r tri anifail, Twm: y tarw, yr arth, a'r ceffyl – y rhuthro, y gwasgu, a'r cicio. Cofia di hyn hefyd, mae gan bob ymladdwr 'ffrindie', fel rhyw gŵn anwes o'u cwmpas nhw; mae'r rheini, y ffrindie 'ma, yn debyg o gydio yn dy grys di, ne' dy fraich di, dim ond digon i roi cyfle i'r llall gael ei ddwrn i mewn. Does yne ddim un tric na fyddan nhw'n rhoi cynnig arno fo. Cofia gadw'r chwith yne o dy flaen i daro ac i amddiffyn; cofia ddal i symud, a weithie pan fyddi di'n gweld dy gyfle, cofia'r *southpaw*. Fedra i ddeud dim mwy wrthot ti; biti na faswn i'n medru bod yn sefyll tu cefn i ti pan fyddi di mewn helynt, ond dydi hynny ddim i fod.

"Rŵan 'te, mae gen ti dipyn o daith o dy flaen. Gwna dy ffordd i Goed-poeth, a mae yne dafarn ar y groesffordd wrth i ti ddod i mewn i'r pentre. Gofyn am John Ifans yn y fan honno, mae o'n gefnder i mi. Dywed dy stori wrtho fo, a dywed 'y mod i wedi dy yrru di, a mi edrychith o ar dy ôl di."

"Diolch am bob peth, Wiliam, a diolchwch i Marian, a chofiwch fi at Martha, a … a Harri. Mae'n ddrwg gen i fy mod i wedi gneud yr hen dro sâl yma â chi i gyd. Dwn i ddim sut ydw i'n mynd i neud hebddoch chi."

"Twm! Rwyt ti wedi gorfod tyfu o fod yn fachgen i fod yn ddyn yn rhy sydyn, ond mi rwyt ti'n ddyn rŵan, a mi fydd yn rhaid iti wynebu pob math o anawstere, a'u gwynebu nhw fel dyn. Ond beth bynnag wnei di, paid ag anghofio'r tri anifail: y tarw, yr arth a'r ceffyl. Bendith arnat ti, Twm. A phaid â'n hanghofio ninne, chwaith. Os gweli di gyfle i anfon llythyr mi fasen yn falch o glywed dy hanes."

A dyna ysgwyd llaw am y tro ola. Trois yn ôl i edrych ar ôl mynd rhyw hanner canllath. Roeddwn i'n ei weld o yng ngole'r lleuad, a chododd law arna i, a throi am adre.

Dwi'n meddwl mai dyna'r amser y bûm i'n teimlo mwya unig erioed, wysti, Huw …

## *Pennod 3*

"A be 'di hanes pethe erbyn hyn, Gwenno?"

"Dwi ddim yn gweld llawer o newid, doctor. Dydi o ddim wedi symud oddi ar wastad ei gefn, a dydi o ddim wedi deud dim byd. Dwi wedi gweld ei freichie fo'n symud mymryn, dyne'r cwbwl."

"Ei freichie fo, medde chi. Y ddwy fraich?"

"Do, dwi wedi gweld symud, rhyw fymryn, yn y ddwy."

"A beth am y coese?"

"Na, ddim i mi sylwi."

"Mae ei liw o'n dal yn dda, a'r galon a'r p$\hat{y}$ls yn ddigon da fyth. A dim ond yr adeg yma pnawn ddoe y syrthiodd o – dwi'n rhyw feddwl mai amser mae o isio. Mi ddo i heibio tua'r un amser fory eto, ne' falle'r eith hi'n fore drennydd arna i hefyd. Mi fydde'n eitha peth ichi ei symud o ar ei ochor weithie, yn hytrach na'i fod o ar ei gefn o hyd. Rhowch wbod imi os bydd yne unrhyw newid er gwaeth."

Gwelodd Gwenno yr Indiad, Johnny Shawnee, yn llithro fel cysgod o gwmpas y tai allan yn ystod y dydd, ond ddaeth o ddim ar gyfyl y tŷ. Mi roedd hi'n weddol siŵr ei fod o'n cadw'n agos at y tŷ drwy'r nos hefyd.

\*      \*      \*

… Doeddwn i ddim yn gwbod yn iawn lle'r oedd Coed-poeth, dim ond ei fod o ymhellach na Rhuthun, ac ar y ffordd i Wrecsam, ond mi gerddes drwy'r nos dan ole'r lleuad, a phob math o gwestiyne'n rhedeg drwy 'meddwl i. Be oedd o 'mlaen i rŵan? Pa waith fedrwn i ei gael? Fydde Lord Latham yn gneud ymholiade amdana i, ac yn trio 'nghael i'n ôl? Fedre fo'n rhoi i yn y carchar, ne'r House of Correction am adel gwaith heb ei ganiatâd o? Oeddwn i'n ddigon pell yng Nghoed-poeth, ne' oedd isio mynd ymhellach?

A mi ges y pwl mwya ofnadwy o hiraeth am Wiliam a Marian a Harri.

A mi ddwedes fy helyntion i gyd wrth John Ifans, cefnder Wiliam, heb gelu dim. Roedd o'n ddigon tebyg i Wiliam hefyd, ac yn gneud imi deimlo y medrwn i ddibynnu yn hollol arno fo.

"Wel, Twm druan, mae hi'n edrych yn o ddu arnat ti ar y funud. Ond dydi hi ddim yn ddiwedd y byd, chwaith. Y peth cynta ydi rhoi rhywbeth yn dy fol di; mi fydd pethe'n siŵr o edrych yn well ar ôl iti gael bwyd."

Ac ar ôl uwd, a phlatied o facyn, roedd pethe'n edrych yn well yn wir.

"Dwi ddim yn meddwl mai dyma'r lle gore iti, Twm. Os bydd yne rywun yn dod ar dy drywydd di, dyma'r lle cynta yr holan nhw, yn y dafarn gynta ar y ffordd i mewn i unrhyw dre neu bentre. Mi fydde'n well iti fod yn rhywle lle mae yne lawer o bobol yn mynd a dod, rhywle lle nad ydi gwyneb newydd ddim yn tynnu dim sylw, rhywle na fyddi di ddim yn amlwg, er bod hynny'n mynd i fod yn anodd hefo'r gwallt yne. Torri hwnnw'n fyr fydde ore, dwi'n meddwl. A mi fydd yn rhaid chwilio am waith iti hefyd. Wyt ti wedi arfer hefo gwaith bôn braich, dywed? Mae golwg digon cry arnat ti."

"Do, dwi wedi gneud rhyw gymint hefo Wiliam, ond roeddwn i yn yr Hall lawer iawn hefyd, John Ifans."

"Tyrd imi gael gweld dy ddwylo di. Oes, mae yne ôl gwaith ar y rheine, a mi faswn i'n deud fod yne ôl caledu ar y dyrne yne hefyd, ond dydi hynny ddim i'w ryfeddu a meddwl fel yr oedd yr hen Wiliam wedi gwirioni ar focsio yn Llunden yne. Dwi'n meddwl y bydd yn rhaid iti chwilio am waith yn y pwll glo, ac os llwyddi di, mi fydd yn rhaid iti ddefnyddio dyrne o bryd i'w gilydd; mae hi'n mynd yn o eger yno weithie. Mae gen i fodryb yn Stryt Isa; mi gollodd ei gŵr – brawd 'y nhad – mewn ffrwydrad yn y pwll chwe blynedd 'nôl, a mae hi'n cymyd dynion i aros. Mi gaet ti aros hefo hi, a dwi'n siŵr y bydde hi'n medru dy roi di ar ben y ffordd i ti gael gwaith. Ia, dos drwy Minera ac i lawr a chadw Rhos ar y dde, a mi ddoi di i Stryt Isa, a gofyn am Hannah Ifans, mae pawb yn ei nabod hi. A dywed wrthi 'mod i wedi dy yrru di ati, a dywed am Wiliam hefyd. Mi gei di ddeud dy stori i gyd, ne' cyn lleied fyth ag y mynni di; neith Modryb Hannah ddim gofyn dim cwestiyne, ac mi edrychith ar dy ôl di fel petaset ti'n fab iddi."

Roeddwn i'n teimlo bron fel rhyw barsel yn cael fy estyn o un llaw i'r llall. Wiliam yn f'estyn i i'w gefnder, a hwnnw wedyn yn f'estyn i ymlaen i'w fodryb Hannah. Doedd gen i ddim ond gobeithio eu bod nhw'n gwbod beth oedden nhw'n ei wneud. Roedden nhw'n bownd o fod yn gwbod yn well na fi, o ran hynny; roeddwn i mor ddiniwed.

Roedd Hannah Ifans yn ddynes dal, hardd, a'i gwallt yn dechre britho, a doedd dim ond isio edrych arni i wbod ei bod hi'n garedig.

"A mi rwyt ti wedi cael dy fagu gan Wiliam, wyt ti? Wel, os oeddet ti'n ddigon da ganddo fo, rwyt ti'n ddigon da gen i hefyd. A sut y mae o a Marian, a'r hogyn bach – be di'i enw o; Harri? Tyrd i mewn, a mi wna i damed o fwyd iti rŵan; mae'n debyg dy fod di ar lwgu, felly gweles i hogie dy oed di, erioed. A sut oedd John, Coed-poeth? Mae hwnnw'n hen hogyn iawn hefyd."

"Maen nhw i gyd yn iawn, ydyn wir, Hannah Ifans, a mae John Ifans yn cofio atoch chi'n arw."

"Rwyt ti'n reit lwcus mewn ffordd. Mae un o'r bechgyn oedd yn aros yma wedi mynd yn ei ôl i ochre Llandrillo; mi aeth yn hiraethus ofnadwy am ei deulu, a methu diodde yn y diwedd, ac adre â fo bore ddoe. Felly mae gen i wely iti. A mi allet ddod yn lwcus hefo gwaith hefyd. Edward Wiliam Edwards, sydd yn flaenor hefo ni yn y Capel Bedyddwyr yn Stryt Isa 'ma, sy'n cyflogi yn y Pant, y pwll glo, a dwi'n meddwl fod un o'r clercod yn y swyddfa ganddo fo wedi bod yn wael iawn hefo'r disentri, a ddim yn debyg o ddod yn ôl i'w waith am beth amser. Mi bicia i draw i weld Mr Edwards heno; mi alle fod yn reit balch i ddod o hyd i fachgen sy'n medru darllen a sgwennu a gneud syms.

"Mae 'ne bedwar o fechgyn yn aros yma: Bob Edwards o Sir Fôn, Bob Ifans, Idris o Gorwen, a Michael Rafferty o'r Werddon. Dwi'n gneud 'y ngore i edrych ar 'ch hole chi fechgyn, a dwi'n disgwyl y byddwch chithe'n ymddwyn yn fonheddig; dyne'r unig beth yr ydw i'n ei ofyn."

Doedd yne ddim gwaith imi yn y swyddfa, ond addawodd Mr Edwards y bydde'n cofio 'mod i ar gael pe bai raid. Ond yr oedd yne waith ar gael yn y gwaith glo. Roedd ganddo fo le i un i lwytho dramie, hynny ydi i rofio'r glo rhydd i mewn i'r dram ar ôl i'r torrwr ryddhau'r glo o wyneb y wythïen. Dyne oedd y drefn, medde Hannah Ifans; y ddau frawd Greenhow, perchenogion y pwll, yn penodi rheolwr, a hwnnw'n gneud cytundebe hefo pedwar ne' bump o Chaltermasters ne' gyflogwyr, a mi roedd Edward Wiliam Edwards yn un o'r rheini. A'r cyflogwyr oedd â'r hawl i gyflogi gweithwyr fel yr oedd o isio. Doeddwn i ddim yn edrych ymlaen o gwbwl at weithio dan ddaear, yn y tywyllwch. Ond fel y digwyddodd pethe, y tywyllwch fydde'r peth hawsa i ddygymod hefo fo.

Mewn gwirionedd roeddwn i'n rhy hen i fod yn rhofiwr, ond gan 'y mod i'n hollol ddibrofiad, fedrwn i ddim bod yn dorrwr. Roedd bechgyn yn cychwyn gwaith yn y pwll yn chwech oed, yn tynnu'r dramie yn ôl ac ymlaen o'r gwyneb, a hynny nes y bydden nhw tua phedair ar ddeg, ne' nes oedden nhw'n ddigon mawr. Wedyn, cael bod yn rhofwyr nes cyrredd tua un ar bymtheg oed, ac ar gyflog. Ac o hynny 'mlaen yn gweithio ar y dasg o dorri'r glo o'r gwyneb. Gneud cymwynas â Hannah Ifans ddaru Mr Edwards i mi gael gwaith o unrhyw fath.

Roedd Idris wedi bod yn was ffarm yn Glyndyfrdwy ac wedi dod i'r glo i chwilio am well cyflog, yn ddyn ugien oed a sgwydde fel cawr. "Mi gei di ddod hefo fi, a llenwi'r dramie i mi; mi drycha i ar dy ôl di yn y dechre fel hyn. A mi ddeuda i hyn wrthot ti, mi fyddi di wedi blino gymint fel y byddi di'n syrthio i gysgu a'r rhaw yn dy ddwylo, rhwng un rhofied a'r nesa."

"Tynnu 'nghoes i wyt ti?"

"Na, mae hynny'n wir;' dwyt ti 'rioed wedi gneud shifft o ddeuddeg awr, a dwyt ti ddim wedi arfer hefo'r awyr yn y pwll. Fyddi di ddim yn gwbod pa amser o'r dydd na'r nos fydd hi am yn agos i bythefnos, a mi fyddi di'n cysgu uwchben dy draed."

A roedd o'n iawn, wysti, Huw. Roeddwn i'n brifo drosta i – 'y nghefn i, 'y nghoese i, 'y mreichie i; swigod ar 'y nwylo i, a gorfod rhwymo cadache amdanyn nhw. Yn ystod amser i gael brechdan yn ystod y dydd, mi fyddwn i wedi cysgu yn rholyn, ac Idris yn gorfod cydio yn 'n ysgwydd i ac ysgwyd o ddifri. Fues i 'rioed mor flinedig. Ond roeddwn i'n ifanc, a mae'r ifanc yn dod i ddygymod hefo popeth. Hyd yn oed hefo peryg. A mi roedd y pwll yn lle peryg. Roedd yne ddŵr yn codi'n gyson, a pheiriant yn gweithio ddydd a nos i'w godi o allan o'r pwll. Ond er hynny roedden ni'n dal i orfod gweithio mewn dŵr. A'r peryg o ffrwydrad, dyne'r peth gwaetha, dwi'n meddwl. Rhyw fath o nwy oedd yn hel yn y pwll weithie dros nos, ac os bydde 'ne ddigon ohono fo mi alle danio, ne' ffrwydro hefo gole'n cnwylle ni. 'Yr hen ladi' oedd yr hen goliars yn galw'r nwy, ac yn gneud sbort am fel yr oedd hi'n rhoi cusan i'w chariad. Ond mi roedd hi'n fwy na chusan, cred di fi, oedd wir, roedd hi'n gusan go boeth. Os ffrwydre'r nwy mi losge dy wallt di, a dy ddillad di, a chroen dy wyneb di hefyd, a dy ladd di; ia, roedd yne hanesion am golli pymtheg, ac ugien dyn, mewn damweinie mawr. Ond weles i mo hynny'n digwydd tra fues i yno. A fel tase hynny ddim yn ddigon, roedd yne ddamweinie bob dydd bron; y plant oedd yn tynnu'r dramie'n cael eu gwasgu, ne'n llithro ac yn syrthio, ac yn colli braich ne' droed o dan y dram – ia, ac yn colli'u bywyde hefyd.

Idris oedd yn edrych ar ôl 'n rhan ni o'r pwll; fo oedd y dyn tân. Mi fydde'n mynd i archwilio bob bore cyn i neb arall fynd yn agos, ac os bydde raid mi fydde'n tanio'r nwy. Mi ddeudodd wrtha i lawer gwaith fel y bydde fo'n gwisgo hen ddillad a'r rheini'n 'lyb domen, a rhywbeth g'lyb dros ei ben, a wedyn yn mynd â pholyn hir a chnwylle wedi'u gole ar hwnnw, ac yn ei wthio at wyneb y glo a goleuo'r nwy. Roedd 'yr hen ladi' yn rhuthro at y cnwylle, weithie'n eu diffodd, weithie ddim, ond yn gadel hen hogle drwg ar ei hôl.

Er ei bod hi mor 'lyb yn y pwll, roedden ni'n chwysu'n ofnadwy, a phawb ar ddiwedd dydd yn mynd i'r dafarn i yfed cwrw, i neud i fyny am yr holl chwysu. Wel, doeddwn i ddim wedi arfer hefo yfed o unrhyw fath, a dwi'n cyfadde yn y dyddie cynnar roeddwn i'n cerdded adre at Hannah Ifans yn chwil, a doedd hi ddim yn hapus, ddim yn hapus o gwbwl. A mi gymodd dipyn bach cyn imi ddysgu cadw rheol arna i fy hun.

Dwi'n meddwl mai am fy mod i wedi bod yn yfed, a 'mod i'n ymddwyn yn wirion y daru Hannah Ifans ofyn i mi, "Twm, wnewch chi ddod hefo fi i'r capel ddy' Sul?"

Wyddwn i ddim be i'w ddeud. "Dwi 'rioed wedi bod yn y capel, Hannah Ifans, dim ond i'r eglwys yn Nimbech hefo teulu Flaxen Hall."

"Dydi hynny ddim gwahanieth, mi faswn i'n hoffi i chi glywed y Parchedig Ellis Evans, Cefn Mawr; mae o'n bregethwr grymus iawn, a mi wnâi les i chi ei glywed o!" A mi ddalltis nad oeddwn i ddim yn y llyfre; roedd y 'ti' wedi mynd i rywle, a'r 'chi' wedi dod yn ei le, ac y bydde'n well imi fynd.

Erbyn bore dy' Sul, roedd Hannah Ifans wedi rhoi dillad imi i'w gwisgo; dillad ei gŵr oedd wedi ei ladd rai blynyddoedd ynghynt, a mae'n rhaid ein bod ni'n debyg o ran maint. Ar y ffordd i Gapel Bedyddwyr Stryt Isa roedd yna dwr ofnadwy o ddynion yn llenwi'r stryt. A mi roedd yne sŵn difrifol – dynion yn gweiddi, cŵn yn cyfarth, ac mewn cylch o ddynion ar ganol y stryt roedd yne ddau goliar yn ymladd.

"Dawn ni byth heibio'r holl ddynion yma," medde Hannah Ifans. "Mi fydde'n well inni droi'n ôl a thrio mynd y ffordd arall."

Ond y funud honno mi ddaeth yne ddyn yn gwisgo du, a het ddu, na fedre fod yn neb ond y pregethwr, a mi waeddodd ar y ddau, "Dwi'n erfyn arnoch chi, yn enw eich Ceidwad a'ch Achubwr, dowch â'r ymladd i ben." Ond chymrodd y naill na'r llall o'r ymladdwyr mo'r sylw lleia ohono fo. A'r funud nesa roedd y Parchedig Ellis Evans wedi camu i mewn i'r cylch, wedi cydio yng ngwar y ddau a tharo'u penne nhw yn ei gilydd, nes oedden nhw'n clecian. Weles i 'rioed ddau wedi cael cymint o syndod, nac wedi sobri cymint chwaith. "Methodd Rheolau Gras, ond Sinai a orfu," medde Ellis Evans, ac ymlaen â fo i'r capel. A wysti be, Huw, mi aeth y ddau goliar a nifer o'r dynion oedd yn edrych arnyn nhw'n ymladd, i mewn i'r capel ar ei ôl o, ac eiste'n dawel drwy'r gwasaneth. Dwi ddim yn meddwl mai dyna oedd Hannah Ifans yn ei feddwl pan ddywedodd hi ei fod o'n bregethwr grymus, ond mi gafodd effaith arna i; roedd gen i lawer iawn o barch iddo fo wedyn. Ac o bryd i'w gilydd yr oeddwn i'n mynd i'r capel, yn enwedig pan oedd Ellis Evans yno.

"Mae Mr Edward Wiliam Edwards isio dy weld di," medde Hannah Ifans. "Mae isio i ti fynd i'w weld o heno."

"I be, Hannah Ifans?"

"Dwn i ddim yn wir, Twm, ond mi ddeudodd y bydde fo'n dal mewn cof dy fod yn medru sgwennu a darllen a gneud syms os bydde fo'n brin yn y swyddfa, on'do? 'Wrach mai rhywbeth felly sy gyno fo mewn golwg."

"Roeddech chi am fy ngweld i, Mr Edwards." Roeddwn i'n gwbod sut i ymddwyn hefo pobol ag awdurdod; o leia roeddwn i wedi dysgu hynny yn Flaxen Hall!

"Oeddwn," yn ddigon swta. "Dwi'n deall eich bod yn deud eich bod yn medru darllen, ysgrifennu a rhifo. Ymhle y cawsoch chi addysg, Thomas?"

Wel, rŵan 'te, sut oeddwn i yn dod allan o'r dryswch yma? Petawn i'n deud am Lord Latham a Flaxen Hall, beth petai Edward Wiliam Edwards yn cysylltu hefo fo? Sut y bydde hi arna i wedyn? Ond roeddwn i wedi clywed digon o bregethu ar faterion cymdeithasol yn y capel, a mi benderfynes y byddwn i'n taflu'n hun ar ei drugaredd o.

"Mi fues yn gweithio yn Flaxen Hall, Dinbych, syr, yn gydymaith i Master Richard Latham, ac yn yr un gwersi am bron i saith mlynedd. Ond mi redes i ffwrdd ddau fis yn ôl, syr, a mi ddois i'r gwaith glo i guddio rhag imi gael 'n nal, ond roeddwn i'n chwilio am waith hefyd." Wel, dyne'r gath yne allan o'r cwd; ro'n i wedi deud y gwir, ond heb ddeud y stori i gyd. Petai o'n bygwth 'y ngyrru i'n ôl, mi fedrwn redeg i rywle eto.

"O, felly!" yn sych iawn. Estynnodd bamffledyn imi, *The Rights of Man* gan Thomas Paine. "Fedrwch chi ddarllen hwn imi?" Mi ddarllenes hwnnw'n weddol ddidramgwydd.

"Gadewch imi weld 'ch llawysgrifen chi, Thomas. Ewch at y bwrdd ac ysgrifennwch y frawddeg gynta o'r pamffledyn yne." A mi wnes hynny, fel yr oedd o'n gofyn.

"Hm. Purion."

'Rargen, roedd o'n sych!

"Eisteddwch yn y fan yne a rhifwch y golofn ffigyre yne."

Hynny oedd y peth hawsa gen i; roeddwn i wrth fy modd hefo cyfri, byth ers pan ddywedodd Mr Arthurs, "How many times do I have to remind you about the 'carry one' Thomas?"

"Mi gewch chi ddechre yn y swyddfa fore dydd Llun nesa, Thomas. Ewch â'r pamffledyn yne adre hefo chi i'w ddarllen; mae yne lawer iawn o wirionedde ynddo fo."

Ac wrth iddo fo'n hebrwng i at y drws, "Mae'ch cyfrinach chi'n hollol ddiogel."

Wel! Doedd gyno fo ddim llawer o eirie, ond roedd pob un yn bwrpasol. Mi dalodd imi gyfadde 'mod i wedi rhedeg o Flaxen Hall; dwi'n siŵr y bydde fo'n rhy graff i lyncu rhyw stori neud. A ddaru o ddim holi be oedd tu cefn i'r rhedeg i ffwrdd, chwaith. Ro'n i'n teimlo y medrwn i ymddiried ynddo fo.

"O! Mae'r twrch daear yn cael dod i'r wyneb, ydi o? A finne wedi trio dysgu iddo fo sut i fod yn goliar! Anniolchgar ar y naw ydw i'n galw peth fel'ne, wir. Dwi'n gobeithio y byddi di'n medru cadw dy ben, a nad ei di ddim yn rhy falch i siarad hefo dy hen ffrindie." Tipyn o dynnwr coes oedd Idris, a mi roedd o'n gwenu fel giât. A'r ddau Bob, a Michael yn chwerthin. Ia, doedd dim ond dau fis ers pan ddois i i Stryt Isa, a mi roedden ni'n hen ffrindie, o ddifri rywsut. Doeddwn i 'rioed o'r blaen wedi bod hefo nifer o rai yr un oed â fi, ond buan iawn yr oeddwn i wedi arfer, ac erbyn hyn yn teimlo'n hollol gartrefol hefo nhw.

Ond bore dydd Llun, dyma newid byd.

"And you are Thomath Joneth, tho well thpoken of by Mr Edwardth." Llais tawel, a fedra i ddim meddwl am air arall i'w ddisgrifio fo ond seimlyd. "And thuch a lovely looking boy, too!" Doedd o ddim yn siarad fel hyn bob amser, siŵr? Doedd 's' ddim yn swnio fel 's', ond yn fwy fel 'th', ac yn codi arswyd arna i braidd. John Colman yn hanu o Gaer; Sais. Dyn gweddol fychan, main, gwallt du, ac yn cerdded mewn ffordd od, yn fân ac yn fuan braidd. Dwi'n cofio meddwl y bore cynta hwnnw, na fedrech chi ddim cael gwell enw i rywun oedd mewn gwaith glo, ond dyne'r unig beth da fedrwn i feddwl amdano fo o hynny 'mlaen. "My name ith Colman, John Colman, and you will call me Mithda Colman, and your fellow clerk ith Yea-ahn. You will thit there by the ledger dethk, and enter all tranthacthionth from em onwardth." Be aflwydd oedd ystyr hynny? Edryches i ar yr Yea-ahn yma am eglurhad, a'i weld o'n prin symud ei amrant, a dallt rhywbeth, dwn i ddim be. "Ith that clear?"

"Yes, Mr Colman." Mi fues i bron â deud 'Yeth, Mr Colman', ond roedd un golwg ar Yea-ahn yn ddigon imi 'matal rhag hynny, ac eisteddes ar y stôl uchel. Roedd hi'n amlwg y bydde'n rhaid imi ddysgu cryn dipyn, a hynny'n fuan.

"Be maen nhw'n dy alw di, Tom ne' Twm?" gofynnodd Yea-ahn.

"Twm, Yea-ahn."

"Ieuan, y gwirion; yr hen Golman sy'n methu deud Ieuan, ond Ieu mae pawb yn 'y ngalw i. Lwc iti beidio deud 'Yeth' wrtho fo; mi feddylis am funud dy fod ti'n mynd i neud, a mae o'n mynd yn wallgo os meddylith o fod rhywun yn gneud sbort am ei ben o."

"Sut un ydi o, 'te?"

"Wel, un od ar y naw. Mae o'n fwy o ferch nag o ddyn, a gwylia di os byddi di yn y swyddfa dy hun hefo fo; mae o'n trio rhwbio ynot ti. Na, mi faswn i'n ei wylio fo o ddifri, taswn i ti. Welest ti'r olwg yn ei lygid o pan ddeudodd o 'And thuch a lovely looking boy, too!'?"

"Naddo, ond mi roeddwn i'n teimlo'n anghyfforddus o'r funud ddaru o agor ei geg."

"A mae o'n hoffi bechgyn hefo gwallt melyn, cyrliog!"

"Hei, Ieu, rwyt ti'n tynnu 'nghoes i rŵan."

"Wel, ydw a nag ydw."

"Be 'di 'tranthacthionth from em onwardth'?"

"Paid â'i ddynwared o, bendith y Tad, ne' mi wnei heb feddwl ryw ddiwrnod. 'From M onwards', o'r llythyren M, pawb sydd â'i enw'n cychwyn hefo M ac ymlaen tan ddiwedd yr wyddor; faint ma'n nhw wedi'i ennill, faint o dramie sy wedi'u llenwi, faint sy arnyn nhw, faint ma'n nhw wedi'i gael mewn talebe, pob peth felly. Ond mi ddoi di iddi yn fuan iawn; dydi o ddim yn waith caled, ond mae'n rhaid iti fod yn gywir. Chredet ti ddim fel mae yne rai yn medru cyfri er na fedran nhw ddim darllen na sgwennu. Wedyn ar ddiwedd y mis, mi rwyt ti'n gneud y cyfrifon, a mae o, Mr Colman, yn mynd â'r lejer i siop y gwaith, y *tommy shop*. Yr unig beth, mae dy gefn di'n mynd i frifo wrth eiste ar yr hen stolion uchel 'ma drwy'r dydd. Mae'n haws gen i sefyll weithie, ond dydi o, yr hen Golman, ddim yn caniatáu hynny."

"Dwi ddim wedi dallt, Ieu. Dwi'n gwbod be 'di taleb, y darne copor yne oedden ni'n 'u cael ar ddiwedd wythnos. Roeddwn i'n meddwl mai cyflog oedd rheini. A dwi 'di rhoi rheini i Hannah Ifans i gyd."

"Ia, mae hynny'n iawn, a mae hithe'n cael mynd i'r *tommy shop*, a newid rheini am fwyd ne' beth bynnag mae hi isio. Ac ar ddiwedd y mis mi rwyt tithe'n mynd i'r *tommy shop*, ac os wyt ti wedi ennill mwy na gest ti mewn talebe, mae'r siopwr yn talu'r gweddill i ti. Ond paid â disgwyl llawer mewn arian gleision! A Hannah Ifans, os ydi hi isio rhywbeth nad ydi o ddim yn y *tommy shop*, mae hi'n gorfod ffeirio rhywbeth sy gyni hi am beth bynnag mae hi isio, a dydi hynny ddim yn gweithio'n wych iawn. Ond fel'ne ma' hi."

Doedd gwaith bob dydd ddim yn galed, ddim hanner mor galed â bod dan ddaear, ond bod Colman yn gwylio bob cofnod, ac yn mynnu bod y sgrifen yn *copper-plate* ac yn gywir bob amser. A'r peth arall, oedd yn fwy atgas o lawer, yn union fel yr oedd Ieu wedi deud, oedd ei fod o'n mynnu rhwbio yn 'ch erbyn chi o hyd. A finne'n teimlo rhyw iase'n rhedeg i lawr 'y nghefn i.

"Be 'di hwn, Ieu?" gofynnes. "Pwy ydi'r Madrell yma? Madrell W.J.? Dwi 'rioed wedi'i weld o, ac eto mae sgwennu Colman gyferbyn â'i enw fo, ac yn ôl hwn mae o'n ennill cyflog, ac yn cael talebe."

"Mi fyddi di'n gwbod dy fod ti wedi'i weld o, pan weli di o. Mae o'n anferth o ddyn, fel mynydd mawr. Does neb yn siŵr iawn ohono fo. Coliar ydi o, a mae o'n gweithio dan ddaear, ond faint o waith mae o'n ei neud, dwi ddim yn siŵr. Dwi'n meddwl, fy hun, ei fod o'n gweithio i'r Rheolwr, a'i fod o yma i gadw golwg arnon ni'r dynion – be 'dan ni'n neud a be 'dan ni'n ddeud – ac yn cario'n ôl i'r Rheolwr. Billy Joy Madrell ydi ei enw fo, ond Bully Boy Madrell ydi o mewn difri. Mae gan bawb ei ofn o. Rwyt ti'n bownd o'i weld o un o'r dyddie yma; mae o'n mynd o gwmpas yn eiste ar drol fach, a bastad mul yn ei dynnu o. Bastad mul yn tynnu bastad mul!"

Roeddwn i wrthi'n gneud cyfrifon ddiwedd y mis, a dyma gysgod yn disgyn ar y llyfr. Pan edryches i i fyny, roedd yne gawr yn sefyll o flaen y ddesg. Roeddwn i wedi tyfu'n dal, yn tynnu at ddwylath, ond roedd hwn yn fwy na fi o lawer, a sgwydde fel tarw, ac yn drwm, golwg trwm arno fo.

"Where's John Colman?"

Mae'n rhaid mai hwn oedd y Madrell yma, weles i 'rioed neb yn agos at ei faint o.

"He's gone to see Mr Edwards," medde finne.

"You don't know me, do you? I'm Billy Joy Madrell. And you'll know me from now on, won't you? You'd better. My! but aren't you the pretty boy. Colman said he had a new clerk. You must be his heart's delight! Tell him I'll be back!" Trodd ar ei swdwl a chychwyn allan, yna trodd ei ben i edrych arna i, a rhoddodd ryw ruad mawr o chwerthiniad aflednais.

Ac wedyn, "Billy Joy, Billy Joy,
     Remember me, my Pretty Boy," ac i ffwrdd â fo.

Pan ddaeth Ieu yn ei ôl mi ddeudes yr hanes wrtho fo, a rhyw wenu ddaru o. Roedd hi'n weddol amlwg fod yne rywbeth nad oeddwn i ddim yn ei ddallt, ond ddeudodd Ieu ddim byd.

Pan ddaeth Colman yn ôl, mi ddeudes fod y Madrell yma wedi bod i mewn ac yn holi amdano fo, ac yn deud y bydde fo'n dod yn ôl.

"Oh, yeth, Billy Joy ith a iaw unto himthelf," oedd ei ymateb o. "I want you to thtay late tonight, Tom. I want to go over that M to Z ledger with you, ath it'th the firtht end of month for you."

"Yes, Mr Colman." A dyne ffwndro'r trefniade. Roedd Idris a Bob Ifans a finne wedi meddwl mynd i weld ymladd ceiliogod y noson honno. Ond 'wrach na fydde Colman ddim yn 'y nghadw i'n hir iawn.

Cyn i Ieu fynd o'r swyddfa, dyne fo'n sibrwd, "Edrych ar ôl dy hun; mae ei hen ddwylo fo ymhob man."

Be oedd ystyr hynny?

"Now then, young Tom, to buthineth," a rhoddodd Colman fraich o gwmpas 'n ysgwydd i, a mi ddechreues deimlo'n annifyr.

"I don't understand the entries for Mr Madrell, Mr Colman."

"Well, no, that'th a private matter between Mr Madrell and me, Tom," a gwasgodd 'n ysgwydd i. "Hath anyone told you what a very handthome young man you are, Tom?"

"No, sir."

Symudodd ei law oddi ar 'yn ysgwydd i, a'i gorffwys hi ar fy mhen-glin. Be oedd yn mynd ymlaen?

"You and I could be very good friendth, Tom. What do you think, Tom?" a dechreuodd symud ei law i fyny ar hyd fy nghlun.

"Yes, sir, I mean no, sir," a chydies yn ei law a'i gwthio hi oddi ar 'y nghoes. "I think I'll have to go now." Neidies ar 'y nhraed, a mi roeddwn i allan o'r swyddfa cyn iddo fo fedru ateb.

"Sut aeth hi heno, Twm?" gofynnodd Ieu, ac wedi imi ddeud yr hanes, roedd o ac Idris a Bob yn chwerthin nes oedd y dagre'n rhedeg i lawr eu gwynebe nhw.

"Ia, dyna oeddwn i'n feddwl; gwylio'i ddwylo fo," medde Ieu ar ôl iddo gael ei wynt ato.

"Faswn i ddim wedi meddwl dy fod ti mor ddiniwed," medde Idris.

"Be wyt ti'n feddwl?"

"Wel, un or rheini, ydi o, yntê? Ar ôl dy din di oedd o, siŵr!" medde Bob, ac ailddechre chwerthin, ond roedd Bob yn medru deud pethe braidd yn fras.

Doeddwn i ddim yn dallt hynny, chwaith, ond roedd hi'n amlwg na chawn i ddim gair call gan yr un o'r tri, a mi dewes. Roedd y peth dros 'y mhen i'n lân.

Mi gefes gyfle y bore canlynol yn y swyddfa i ofyn, "Dwi ddim yn dallt, Ieu. Roedd Bob yn deud ei fod o, a deud yn fras, ei fod o ar ôl 'y nhin i. Be oedd o'n feddwl wrth hynny?"

"Twm! Rwyt ti'n tynnu 'nghoes i, on'dwyt ti?"

"Nag ydw i, wir."

"Bobol annwyl! Wel, mae yne rai dynion nad ydyn nhw ddim isio merch; mae'n well ganddyn nhw fachgen. Wyt ti ddim yn gwbod dy Feibil? 'A gŵr a gydorwedda gyd a gŵr, fel gorwedd gyda gwraig, ffieidd-dra a wnaethant ill dau.' Mae Colman yn un o'r rheini, a mae o wedi rhoi ei lygad arnat ti, am dy fod ti'n olygus, gwallt melyn, ac yn gyrls i gyd. Ddaru ti ddim dallt hynny o'r dechre? Dyne ydi ei wendid o, os lici di, ac os wyt ti isio gwbod, dyne pam y gwnaeth y clerc dwytha fadel. Ond mae o'n gwbod na cheith o ddim chware hefo fi, a dwi'n cael llonydd."

A dyna oedd gan Billy Joy pan oedd o'n chwerthin ar ôl deud 'You must be his heart's delight'! Roeddwn i'n dod i ddysgu pethe rhyfedd iawn. Ddaru Wiliam ddim sôn o gwbwl am ddynion oedd yn hoffi bechgyn; roedd y peth yn hollol ddiarth i mi. Ond wrth feddwl, roeddwn i'r un mor ddiniwed hefo Miss Betsan, ar y dechre.

Doeddwn i ddim yn chwysu yn y swyddfa fel yr oeddwn i dan ddaear, ond roeddwn i wedi dechre mwynhau mynd i'r dafarn a chael sgwrsio ac yfed. Roeddwn i wedi dod i fedru yfed heb gymyd gormod; heb orfod cael help i gerdded adre am 'y mod i'n rhy chwil, beth bynnag. A mi roedd y sgwrs yn dod yn fwy difyr imi hefyd; trafod telere gwaith a chyflog oedd hi y rhan amla. A finne'n medru ymuno am fy mod i, erbyn hyn, wedi darllen pamffledyn Mr Edwards. Sôn am urddas dyn a hawlie'r unigolyn ac yn y blaen, ac yn mynegi barn nad oedd o ddim ond ail-ddeud Thomas Paine, mewn gwirionedd. Ond roedd dynion yn gwrando. Ac o dipyn i beth roedd y trafod yn troi o gwmpas pam oedd yn rhaid i ddyn orfod gwynebu ffrwydrad yn y pwll? Pam na fydde'r meistri'n trefnu gwyntyllu? Pam na fydden nhw'n rhoi'r lampe newydd yma, y Davy lamp, fel na fydde 'ne ddim ffrwydro? Pam na fydde modd trafod hefo'r meistri am decach cyflog? Pam oedd prisie'r *tommy shop* mor uchel? Wrth edrych yn ôl roedd y pethe oedden ni'n eu trafod yn siŵr o ddod i glustie'r rheolwr a'r cyflogwr; roedd yne rywun yn mynd i gynffona, a chario'r stori. A mi roeddwn i'n rhy ddiniwed i sylweddoli fod y trafod yma'n troi o 'nghwmpas i, am mai fi oedd wedi darllen *The Rights of Man.*

"Mae Billy Joy yn edrych amdanat ti," medde Ieu. "Mae o wedi bod yma yn holi."

"Be oedd o isio hefo fi?"

"Isio cael gair bach hefo ti, medde fo."

Ar y ffordd yn ôl i dy Hannah Ifans y noson honno, troi'r gornel a dyne lle'r oedd Billy Joy a'i drol a mul, a phedwar ne' bump o gynffonwyr o'i gwmpas. Yn disgwyl amdana i. Chefes i ddim amser i feddwl, heb sôn am redeg, nad oedd dau ohonyn nhw wedi cydio yn fy mreichie, ac yn fy ngherdded i at Billy Joy.

"Remember me, Pretty boy?
You should remember Billy Joy."

Be oedd y penillion bach yma ganddo fo? Mi ddeudodd rywbeth tebyg pan oedd o yn y swyddfa.

"What do you want?"

"You've been very loud-mouthed recently, I hear; talking about Reform, and dignity of the individual, and equal rights and things like that. Well, I've come to give you your 'equal' rights."

Ac ar hynny dyma fo'n taflu dwrn ata i. Ond roedd Wiliam wedi dysgu imi sut i osgoi honno, a mi sgydwes fy hun; roeddwn yn barod amdano fo, y chwith ymlaen, cadw'r pwyse'n gytbwys, ond heb gofio geirie Wiliam: 'paid â meddwl bod pawb yn chware'n deg.' Teimles rywun yn plycio yn 'y nghôt i, digon i dynnu'n sylw i, a dyma Billy Joy yn rhuthro arna i ac yn rhoi dwy fraich amdana i, ac yn gwasgu, a gwasgu, nes bod 'n senne i'n crecio, a finne'n ymladd am 'y ngwynt; ac i lawr â fi, a fynte ar 'y nghefn i. A dyne'r cicio'n dechre, cicio didrugaredd, cicio pob man – coese, clunie, meingefn, senne, a 'mhen i nes oedd 'y nghlustie i'n canu.

"Take his coat off, boys, and pull his trousers down, and give him a bit of stick, just to make him remember his 'equal rights' and

42

who pays his wages. Not too heavy on his arse, boys, I think Colman fancies a bit of that!" A'r chwerthiniad ofnadwy yne eto.

"Remember this, Pretty Boy,

'Whip-er-deen' from Billy Joy."

A 'ngadel i yn y baw, ar y stryd. Roedd yne ddagre'n llifo; dagre gwaradwydd, a chywilydd, a chynddaredd, a rhwystredigeth, a phoen. O! y boen; roedd pob mymryn ohona i'n brifo. O! a mi fues mor ddiniwed, roeddwn i wedi gadel i anifeiliaid Wiliam ymosod arna i, bob un – y llew, yr arth, a'r ceffyl. Roedd o wedi rhybuddio, ond chymeres i ddim digon o sylw.

"Fedri di gerdded, Twm?" clywes lais Idris yn gofyn.

"Cerdded? Medra, dwi'n meddwl. A mi gerdda i'n ôl yma ryw ddiwrnod hefyd. A mi ga i air bach hefo Billy Joy, y bydd ynte'n ei gofio."

A dwi'n meddwl mai yn y fan honno, yn y baw, ar y stryd, wrth imi neud yr adduned â mi fy hun, y daru mi adel fy niniweidrwydd.

Mi gymodd ddyddie i mi ddod ata fy hun; dyddie poenus, dyddie o hunandosturi, dyddie o gywilyddio, dyddie o iro hefo eli Martha. Roedd Hannah Ifans yn dda wrtha i, er na fedre hi ddim dygymod ag ymladd ar y stryd. Ac ymhen rhyw dridie, daeth llythyr gan Mr Edwards i'r perwyl na fydde yne waith imi yn y swyddfa ddim mwy, nac o dan ddaear. A fo oedd wedi rhoi *The Rights of Man* imi i'w ddarllen! Sut oedd posib iddo fo annog darllen ar y naill law, a gwrthod gwaith ar y llall am 'y mod i wedi bod yn trafod y cynnwys? Ond 'wrach 'mod i'n gneud cam â fo, ac mai'r ddau frawd Greenhow, neu'r Rheolwr, ac nid Mr Edwards, oedd wedi gneud y penderfyniad. Roedd hynny'n fwy tebyg, gan mai creadur y Rheolwr oedd Billy Joy, a does wbod be fydde hwnnw wedi ei ddeud amdana i, na Colman chwaith. Ond dyne'r gosb eitha; dim gwaith. Ac os nag oedd yne waith imi yn y Pant, fydde 'ne ddim yn unrhyw bwll glo arall yn yr ardal chwaith, gan fod y meistri'n gweithio drwy'i gilydd; dyna'u ffordd nhw.

Mi fydde'n rhaid imi fynd o Stryt Isa, roedd hynny'n siŵr. Ond i ble? Doedd yne ddim gobaith cael gwaith yn un o'r tai mawrion; mi fydden isio gwbod gormod o'm hanes i. A doedd gen i ddim llawer o brofiad mewn gwaith glo chwaith, ond dyne'r unig beth

43

y medrwn i feddwl amdano fo. Roedd yne waith i'w gael yn y De, yn ôl pob hanes. Merthyr Tudful oedd y dre fwya yng Nghymru, a'r dre fwya garw a gwyllt yng Nghymru hefyd, yn waeth na Cefn Mawr, medden nhw, a mi roedd hynny'n ddeud go fawr. Merthyr oedd prifddinas gwaith haearn, a lle roedd yne waith haearn roedd yne waith glo. Roeddwn i'n teimlo 'mod i isio cuddio o olwg pawb, i gael llyfu 'mriwie, ac 'wrach y bydde hi'n haws i 'mguddio ym Merthyr, ynghanol y miloedd o bob lliw a llun a chred ac iaith oedd yn byw yn fan'no.

Ond roeddwn i'n gorfod gadel Stryt Isa, a Hannah Ifans a'r hogie, cyn cael teimlo 'nhraed ar y ddaear bron iawn. Fel yr oedd pethe wedi newid arna i mewn ychydig ddyddie! Roeddwn i wedi cyrredd Stryt Isa, a chychwyn yn Pant yn llawn gobaith; ac yn gorfod mynd oddi yno wedi suro, yn benisel, fel ci a'i gynffon yn ei afl, a dim mwy yn y sach nag oedd gen i'n cyrredd yno dri mis a hanner ynghynt. Dim ond rhyw ychydig o ddillad a llyfr Martha. A phrofiad a fydde hefo fi drwy gydol 'n oes.

# Pennod 4

"Na, does yne ddim llawer o newid ynddo fo, Doctor Harri, ond mae o fel'se fo'n anesmwyth iawn weithie."

"Sut 'dech chi'n deud hynny, Gwenno?"

"Mae o'n gneud rhyw sŵn cwyno bach – prin y byddech chi'n ei glywed o, ac yn symud y mymryn lleia ar ei freichie a'i goese."

"Wel, Gwenno fach, dydw i fy hun yn gweld dim gwahanieth. Dal i ddisgwyl a gobeithio'r gore, dyne'r cwbwl fedrwn ni neud, am wn i."

Sŵn go ddigalon oedd yn llais Doctor Harri, ond er hynny roedd Gwenno'n dal yn ddigon ffyddiog. Roedd ganddi glamp o feddwl o Johnny Shawnee, ac mi roedd o wedi dwaud y byddai'i thad yn well ymhen pedwar diwrnod. Roedd hi wedi sylwi hefyd sut yr oedd Johnny'n rhoi cryn sylw i Huw yn ystod y deuddydd yma. Roedd yr hogyn druan wedi torri'i galon yn lân, yn meddwl fod yna fai arno fo rywsut, ac y dylai fod wedi medru arbed ei daid rhag syrthio.

\*　　　\*　　　\*

… Gobeithio na fyddi di byth yn newynog, Huw.

Mi gerddes o Stryt Isa am Riwabon a chroesi pont fawr Telford, Pontcysyllte – bobol annwyl, dene ti bont. Pont i gario'r gamlas dros y dyffryn, a'r afon yn y dyfnder oddi tanat ti. Wedyn mi ges fy nghario ar gwch glo i lawr bron iawn i'r Waun. Roedd Hannah Ifans wedi rhoi pryd imi cyn imi gychwyn, a brechdan imi ddod hefo mi, ond erbyn diwedd y dydd roeddwn i ar lwgu. Doedd gen i ddim pres i brynu bwyd, a mi roedd cerdded heibio tafarndai'r gamlas a'r hogle bwyd a chwrw yn galed ofnadwy. Pigo mwyar duon, a dwyn afal wrth fynd heibio loc y gamlas, ond doedd hynny ddim yn hanner digon. Ond er 'y mod i mor ddigalon ac isio bwyd gymint, roeddwn i'n rhy falch i gardota. Wel, yn rhy falch y noson gynta honno, ond erbyn y bore roedd y gwacter oedd yn 'y mol i'n hawlio llawer mwy o sylw na'r teimlade balchder.

Roeddwn i wedi hen adel y gamlas erbyn hyn, ac yn cerdded drwy wlad amaethyddol braf. Os oeddwn i am fyta, doedd yne ddim ond un ffordd, a mi rois gnoc ar ddrws cefn tŷ ffarm, a gofyn yn ostyngedig iawn am fwyd a chynnig gweithio i dalu amdano. Tafell o fara a chig, a llefrith i ddilyn, a'r rheini'n dda, a diwrnod o waith yn y c'naea gwair. A felly y bu hi; mynd o ffarm i ffarm, yn gweithio diwrnod ne' ddau neu dri weithie yn y c'naea, ac yn cael fy mwyd. Roedd yne ambell i ffarmwr yn rhoi ceiniog ne' ddwy imi ar 'yn llaw wrth fynd odd'no. A doedd neb yn holi gormod, dim ond imi ddeud 'y mod i ar fy ffordd i lawr i Ferthyr. Mae'n debyg eu bod nhw wedi gweld amryw ar eu ffordd, yn hen gyfarwydd â'r dynfa i lawr i'r De.

Ac fel roeddwn i'n pellhau o Stryt Isa, roedd yr atgofion am y gweir ges i gan Billy Joy, a gwarth y chwip-din yn pylu hefyd. Fydde 'ne neb yn gwbod dim amdana i ym Merthyr; mi fydde yne gyfle i mi gychwyn bywyd newydd. Oedd, roedd gen i hiraeth am Wiliam a Marian a Martha, a'r hogie yn Stryt Isa o ran hynny, ond doedd yr hiraeth hwnnw ddim yn brathu fel cynt.

Mae'n rhaid ei bod hi tua chanol ne' ddiwedd Medi pan weles i Merthyr am y tro cynta. Roeddwn i wedi cerdded o Aberhonddu dros y mynydd ac ar y goriwaered, a hithe'n nosi. Mae'n anodd dod o hyd i eirie i ddisgrifio be weles i, Huw bach. Mi sylwes fod yr awyr yn goch o 'mlaen, ac erbyn imi ddod trwy ryw geunant a choed roedd hi fel taswn i'n cerdded i uffern – uffern 'tân a brwmstan' pregethe'r Parchedig Ellis Evans – cymyle mawr o fwg uwchben y dre, a fflame anferthol y ffwrneisi mawr a dynion fel morgrug duon i'w gweld yn erbyn y fflame, a'r mwg yn troelli'n ddu ac yn goch uwchben. Ac fel roeddwn i'n dod yn nes, roeddwn i'n gweld y tane mawr yma ar y naill ochor a'r llall, ac yn 'u clywed nhw'n rhuo wrth i'r gwynt dynnu trwyddyn nhw, a mi roedd yne sŵn annaearol, sŵn haearn yn taro ar haearn, y morthwylion mawr yn dyrnu, a tsaeni yn taro yn erbyn ei gilydd. Petawn i heb weld gwaith haearn yn Pant, mi allwn yn rhwydd fod wedi troi'n ôl, yn rhy ofnus i gerdded ymlaen. Roedd y gwahanol weithie haearn yn ddigon â chodi braw ar unrhyw un; popeth yn fwy yma, y tane, y fflame, a'r sŵn dibaid, a phobol – weles i erioed gymint o bobol. Mi glywes i wedyn eu bod nhw'n deud fod yne dros ddeng mil ar hugien o bobol yn byw ym Merthyr amser 'ny. Y cwbwl fedra i ddeud ydi fod yne fwy na faswn i wedi medru dychmygu hyd yn oed.

Ac wrth gerdded i lawr y stryd drwy ganol y dre, un peth sylwes i oedd bod yne bron gymint o gapeli ag oedd yne o dafarne, a mi roedd yne ddigon o'r rheini, cred di fi. Ond i un o'r rheini yr es i. Mi fuodd raid imi ymladd bron iawn i fynd i ofyn am gwrw, roedd hi mor llawn yno. A thrio tynnu sgwrs wedyn hefo hwnnw oedd yn eistedd agosa ata i ar y fainc. Prin oeddwn i'n dallt ei lingo, a ddysges i ddim sut i siarad yn debyg iddyn nhw tra fues ym Merthyr o ran hynny – ond roedd o'n siarad Cymraeg, mi ddalltes gymint â hynny, ac yn siarad yn fuan ofnadwy, a rhyw acen od, a geirie od hefyd. Ond roedd o'n awyddus iawn i helpu.

I ti gael syniad. "Whilo am waith? Wel, bachan, bachan, ma' 'ma bedwar gwaith harn o fiwn cyrradd. Pendarren, Samuel Homfray, a Chyfarthfa, William Crawshay ydi'r ddou agosa. A wetyn dyne Plymouth lawr 'r afon dipyn bech, a Richard ac Anthony Hill yw'r meistri fan'ny. A bachan ma' 'da ti Dowlais wetyn, a John Guest sy fan'ny. Na, do's 'na ddim prinder gwaith 'ma, bachan!"

Roeddwn i wedi penderfynu cyn gadel Stryt Isa 'mod i'n mynd i chwilio am y gwaith butra a chaleta fedrwn i ei gael pan gyrhaeddwn i Ferthyr Tudful. Trwy neud hynny 'wrach y medrwn i ddileu yr hen enw 'Pretty Boy' yne. Roeddwn i wedi clywed yr enw hwnnw gan Lady Latham a chan Billy Joy, a roedd Wiliam wedi deud y bydde 'ngwyneb i a 'ngwallt i'n achosi helynt imi. Dyne'r peth cynta, felly; roedd gen isio caledu, fel y medrwn i ddod wyneb yn wyneb hefo Billy Joy eto rywbryd. A hefyd, a falle fod hynny lawn cyn bwysiced, roedd gen i isio trio anghofio'n llwyr warth y 'whip-er-deen', er fod y cof hwnnw'n pylu'n ara. Roeddwn i'n ddigon siŵr y bydde gwaith, a hwnnw'n fudur a chaled, yn help i hyn i gyd.

A'r penderfyniad arall oedd nad oeddwn i ddim yn mynd i frygawthan syniade Tom Paine a hawlie dynol a phethe felly. Roeddwn i wedi dysgu'r wers honno'n ddigon siŵr; oeddwn ac am byth!

Gan fod gen i fymryn o brofiad mewn gwaith glo, mi es yn

goliar i waith William Crawshay, a mi ges le i aros hefo Mary O'Rourke yn Ynys-gau. Chwech ohonon ni'n cysgu yn yr un stafell, cofia, a doedd honno fawr iawn mwy na'r cwt ieir yne. Cario hynny o ddŵr oedd isio, a lluchio pob carthion a golch a sbwriel i'r stryd o flaen y tŷ. Tŷ mewn rhes oedd o, yn gwynebu rhes arall. A phwy bynnag oedd yn byw yn y rhes gyferbyn yn gneud yr un peth, yn lluchio popeth allan i'r stryd. Roedden ni'n byw mewn budreddi na fedri di mo'i ddychmygu o. A doedd y budreddi ddim yn cael ei glirio o gwbwl, dim ond pan gaem ni storm o law i olchi'r stryd a chario'r cwbwl i lawr i'r afon.

Roeddwn i yn yr un un twll pan ddechreues i weithio ym Merthyr – dim digon o brofiad o weithio ar wyneb y glo; ond yn y dyddie cynnar rheini mi ddois i nabod Richard Lewis. Yn y dafarn oedden ni; doedd yne ddim llawer o unman arall i gwarfod neb, a mi roedden ni'n mynd i fanno ar ôl shifft yn naturiol am gwrw ar ôl y chwysu mawr yn y pwll. Roedd o'n hŷn na fi, rhyw ddwy flynedd falle, a finne'n ddeunaw; mi fydde fynte'n ugien felly. A dyne pam y sylwes i arno fo i ddechre – roedd ei wallt o'n felyn fel f'un inne, ond yn syth, a mi roedden ni rywbeth digon tebyg o ran maint a phryd a gwedd hefyd.

"Gwyneb newydd eto," mi glywes i lais yn dweud, ac yn siarad hefo fi mae'n debyg. "Mae yne bobol ddiarth yn cyrredd yma bob dydd." Nid fel'ne oedd o'n siarad, cofia, ond dwi 'di deud, on'do, na fedra i ddim dynwared eu lingo nhw, a faswn i ddim yn trio siarad yn debyg iddyn nhw.

"Ia, newydd gyrredd i chwilio am waith yn y pwll glo," medde finne.

"Be ddeudsoch chi?" Doedd o ddim yn cael llawer o hwyl yn fy nallt i chwaith!

"Newydd ddod yma o Rosllannerchrugog," medde fi'n bwyllog iawn, gan na fydde fo wedi clywed am Stryt Isa, "i weithio yn y pwll glo."

"Does yne ddim trafferth cael gwaith," medde fo, "ond fod y cyflog yn fychan." Ac yna gan estyn ei law, "Richard Lewis ydi'n enw i, ond Dic mae pawb yn 'y ngalw i, Dic Penderyn."

"A Thomas Jones ydw inne, ond Twm ydw i i bawb."

"Yn debycach o fod yn Tomi ym Merthyr yma, ond mi gawn ni weld. Ta waeth am hynny, dwi'n falch o dy gwarfod."

"A finne tithe." A dyne ysgwyd llaw.

"Yn lle cefist di waith, Tomi?"

"Pwll glo William Crawshay, ond be sy'n gneud hi'n anodd ydi hyn, dwi ddim wedi cael digon o brofiad ar y ffas lo, a dwi'n gorfod rhofio nes y bydda i wedi cael profiad, a thra y bydda i'n rhofio, dwi ddim yn mynd i gael profiad."

"Tyrd i weithio hefo fi, Tomi; mae gen i isio rhofiwr, a mi gei di ddysgu'r gwaith ar y ffas tra byddi di hefo fi."

Ymhen wythnos roeddwn i'n Tomi North i ffrindie Dic, a mi roedd o'n ffrindie hefo pawb, a phawb yn ei nabod o – yn enwedig y merched; roedd o'n ddeniadol iawn iddyn nhw, a mae'n rhaid imi ddeud 'y mod inne'n ddigon hapus i fod yng nghwmni'r rheini.

"Ydech chi'n perthyn i Dic, Tomi North?" Dyne'r cwestiwn oeddwn i'n ei gael o hyd. "Mi rydech chi'n ddigon tebyg o ran pryd a gwedd, yn enwedig a'r ddau ohonoch chi hefo gwallt melyn."

Wrth ddysgu gan Dic, a chofio beth oeddwn i wedi ei ddysgu gan Idris, buan iawn y dois i gymyd tro am dro hefo Dic ar y ffas, a fynte hefo finne hefo'r rhofio; roedd y ddau ohonon ni'n clirio glo ofnadwy, ond er hynny doedd 'n cyflog ni ddim yn fawr.

Ond, a mi roedd hynny'n 'ond' mawr, nid yn unig roedd Dic yn hoff o ferched, roedd o'n hoff o'i gwrw hefyd, a doedd dim isio llawer nes y bydde fo'n dechre siarad am gyflwr y gweithiwr, a'r diodde oedd ymysg y gwragedd a'r plant, a nad oedden ni ddim ond yn gaethweision i'r meistri haearn, teulu Crawshay a theulu Homfrey, a'r gweddill. Mi wnes i 'ngore i drio cael iddo fod yn fwy gwyliadwrus o be oedd o'n ddeud. Mi ddeudes yr hanes wrtho fo amdana i yn Pant, ac am Billy Joy, ac am orfod gadel ardal y Rhos. Ond mi roedd amgylchiade'r gweithiwr yn chwilen yn ei ben o, ac nid chwilen yn unig achos roedd o'n medru mynd i ddadl ddofn am eu hawlie nhw, mai'r unig ffordd ymlaen oedd drwy drafodeth lawn hefo'r meistri, a hynny drwy nerth undeb y glowyr. Roedd o'n dadlu am well cyflog i'r glöwr, fel na fydde'n rhaid i hwnnw orfod dod â'i blant ei hun i weithio i'r pwll er mwyn cael dau ben llinyn ynghyd. Plant chwech oed yn gorfod bod mewn tywyllwch drwy'r dydd yn agor dryse gwyntyllu, cofia. Fydden nhw ddim llawer hŷn na ti, Huw. Ac fel na fydde hi ddim yn rhaid i'w gwragedd fod yn gweithio yn y pwll, ac yn gwisgo harnis i dynnu dramie glo, a hynny hyd yn oed pan fydden nhw'n feichiog. Roeddwn i wedi mynd i deimlo'n reit annifyr pan fydde Dic yn bwrw drwyddi fel hyn, ac nid sibrwd oedd o chwaith, dallta di – roedd yne rywun yn mynd i glywed ac yn mynd i gario'r stori i glust y meistri.

Ar ddiwedd y mis y bydden ni'n cael 'n talu, a hynny yn y dafarn. Mi fydden wedi gorfod gofyn am dâl ar law, mewn talebe, er mwyn cael prynu bwyd a chwrw, a thalu am le i aros, a hynny am y mis ar ei hyd, a doedd y talwr cyflog ddim yn cyrredd y dafarn nes y bydde hi wedi mynd yn hwyr y nos. Erbyn iddo fo gyrredd mi fydde Dic wedi cael mwy nag un llymed, ac wrthi'n dal allan am undebeth a chlybie budd-dal a Deddf Diwygio ac ati, a finne'n teimlo nad oedd hi ddim ond mater o amser nes y bydde rhywun yn achwyn arno fo.

Digon 'chydig fydde'n cyflog ni hefyd erbyn tynnu'r dyledion; weithie doedd yne ddim digon i dalu'r dyledion hyd yn oed, a dyne ni'n cychwyn y mis nesa mewn dyled, ac yng ngafel y meistri. Ond roedd haearn yn gwerthu'n dda ar y pryd, a mi roedd yne ddigon o waith yn y pwll glo o'r herwydd, a Dic a finne'n gweithio'n dda hefo'n gilydd, ac yn medru cadw'n penne uwchben y dŵr.

"Mae gen i newyddion drwg i ti, Tomi," medde Dic wrtha i ddiwedd y flwyddyn. "Maen nhw wedi rhoi'n enw i ar y *blacklist*. Mi fydd yn rhaid imi adel y pwll, a dyne ti ar dy ben dy hun. Y ti oedd yn iawn; mi agores i 'ngheg ormod, a mae o wedi dod i glustie Crawshay. A mi fydd hwnnw wedi gyrru'r rhestr bechgyn drwg i Homfray a Hill a Guest, felly fydd yne ddim gwaith imi ym Merthyr am dipyn bach rŵan. Nid ei fod o'n poeni cymint â hynny arna i; dydi o mo'r tro cynta i hyn ddigwydd, a dwi'n weddol siŵr y medra i gael gwaith yn halio coed yn ochre Aberhonddu. Ond roedden ni wedi dod i weithio'n dda hefo'n gilydd, a mi fydd yn rhaid iti chwilio am rofiwr rŵan, a hwnnw'n un da. Rwyt ti'n iawn fel torrwr erbyn hyn; rwyt ti lawn cystal â fi. Mi fydda i wedi cael gafel ar rywun i ti cyn dechre'r wythnos; mae un o fechgyn Twm Ffrwd Isa wedi tyfu ac wedi magu tipyn o sgwydde, a dwi ddim yn ame y bydde fo'n medru dal ei dir hefo ti."

"Diolch iti, Dic, ond mi fydd yn chwith ar dy ôl di, cofia. Hen dro, yntê? 'Wrach y byddi di'n meddwl cyn siarad o hyn ymlaen – wel, cyn siarad am ddiwygio pethe, beth bynnag. A dwyt ti ddim ar y *blacklist* am byth, yn nag wyt? Dydi hyd yn oed William Crawshay ddim yn dal dig am byth, am wn i. A mi fyddi'n troi i mewn i'r Angel rywbryd, yn siŵr."

Ond welson ni mohono fo drwy'r gaea, a chlywson ni ddim gair ganddo fo chwaith. Roedd yne stori ei fod o wedi gorfod dengid a mynd i guddio am fod yr awdurdode ar ei ôl o – helynt hefo rhyw geffyl, a'i fod wedi torri'r gyfreth ne' rywbeth – ond doedd neb yn medru dod â'r stori i gyd, a neb yn hollol siŵr o'r ffeithie.

Mi ddaeth Dai, bachgen hyna Twm Ffrwd Isa, yn rhofiwr ata i, a bachgen da oedd o hefyd, ond roedd hi'n dipyn mwy caled arna i. Pan oedd Dic hefo fi roedden ni'n cymyd tro am dro, ond rŵan roeddwn i'n gorfod gneud y torri i gyd, heb gael sbel ar y rhofio.

Ac wrth i'r flwyddyn '29 fynd yn ei blaen, roedd yne sôn nad oedd yr haearn ddim yn gwerthu, a chyn hir roedd Crawshay'n cwtogi'n horie ni, ac wedyn yn diswyddo dynion, ac yn torri cyfloge. Erbyn inni ddod i'r haf, roedd yr arian o'n i'n ei dderbyn wedi dod i lawr draean, rhwng yr orie byrion a'r cwtogi cyflog. Ond o leia roeddwn i'n dal mewn gwaith. Ar ddynion a theuluoedd oedd hi'n ddrwg; doedd gen i ddim ond mi fy hun i feddwl amdano. Roedd gan y rheini wraig a phlant i boeni amdanyn nhw.

Ond does yne ddim drwg nad oes yne dda yn dod yn ei sgil o, medde nhw – am 'y mod i'n gweithio llai o orie, roeddwn i'n medru cwtogi ar y cwrw, a hynny'n haws fyth gan nad oedd Dic o gwmpas. Rhwng yfed llai a bod yn ddarbodus, mi llwyddes i fedru cadw'r ddau ben llinyn ynghyd.

Ac am 'y mod i ag amser ar 'y nwylo mi ddechreues gerdded y wlad, a chyn hir roeddwn i'n edrych ar blanhigion a llysie unwaith eto, ac yn cofio fel yr oeddwn i'n mynd hefo Martha – ac wrth feddwl, doedd hynny ddim ond rhyw bymtheg mis yn ôl, ond ei fod o'n edrych fel pymtheg mlynedd weithie. Lle difrifol oedd gwaith glo am ddamweinie – rhai bach a rhai mawr – ac afiechyd, a mi roedd gwaith haearn yn waeth. Roeddwn i'n gweld plant yn cael eu brifo yn y gwaith glo, weithie am 'u bod nhw'n methu cadw'n effro, ac yn cael eu gwasgu, yn torri coese, a breichie, weithie falle dim ond yn torri croen neu'n cleisio, weithie'n cael 'u lladd. A nid y plant yn unig; roedd y dynion a'r merched yn brifo hefyd. A hefo gweithwyr haearn mi welech yr anafiade mwya difrifol, fel y llosgiade pan oedd yr haearn wedi tatshio, ac wedi caledu ar y croen, weithie wedi llosgi drwy'r croen a chaledu o dan yr wyneb. Bryd hynny roedd hi'n rhaid torri'r haearn allan o'r cnawd hefo cyllell. Roedd yne lawer o ddynion a'u llygid yn glasu ac yn pylu ar ôl blynyddoedd o edrych ar haearn gwynias yn llifo, a hynny'n ara bach yn arwain i ddallineb llwyr. A mi gofies am Martha yn deud "Mae gen ti wybodeth nad ydi o ddim ar gael i lawer, cofia", a mi feddylies, petawn i'n dechre hel y planhigion a'r llysie yn lle dim ond edrych arnyn nhw, mi fedrwn i helpu rhai o'r rheini oedd mewn poen.

O hynny 'mlaen roeddwn i'n mynd â sach ar 'y nghefn bob dydd Sul, ac yn hel pob peth fedrwn i feddwl amdano a alle fod o ddefnydd hefo briwie, a llosgiade, a chleisie, a llygid; a phob nos Sul roedd Mary O'Rourke yn gadel imi ddefnyddio'r gegin fechan a'r sosbenni i neud ffisig ac eli, a diferion llygid a chlustie. A doedd hi ddim yn hir nes 'y mod i'n cael gofynion am feddyginieth gan bobol o bell ac agos. Doeddwn i'n codi dim arnyn nhw, ond doedd neb yn mynd heb adel rhyw geiniog ne' ddwy; dwi'n meddwl 'u bod nhw'n teimlo na fydde'r ffisig ddim yn gweithio heb iddyn nhw dalu amdano fo.

"It's a gift you have there, Tomi," medde Mary ryw noson pan oeddwn wrthi yn ei chegin fach, "and it's fine that you're after sharing it with so many people.Would you be so good as to teach me a little?" A felly fu, ond mi roeddwn i'n dysgu ganddi hi lawn cymint ag yr oedd hi'n dysgu gen i. Roedd Mary'n wybodus iawn am enwe planhigion, tra oeddwn i'n gorfod cymharu hefo'r llunie llysie oedd ar gael yn llyfr Martha, *Llyfr Dail* David Thomas Jones, Llanllyfni, ond mi fedrwn inne ddeud wrthi hi be oedd defnydd y gwahanol blanhigion.

Wrth i'r dyddie fyrhau, doedd hi ddim yn dymor hel llysie mwyach, ac ambell i nos Sul mi ddechreues fynd i'r capel Methodistaidd. Un rheswm dros fynd oedd i fwynhau'r canu. Er nad oeddwn yn llawer o ganwr fy hun roeddwn wrth fy modd yn clywed y baswyr yn gosod sylfaen a'r lleisie erill yn gweu drwy'i gilydd uwchben. A'r tro cynta un oedd i wrando'r Parchedig Morgan Howells. Roedd yne sôn amdano fo fel pregethwr mawr, ond yn fwy na hynny roedd o'n frawd yng nghyfreth i Dic, wedi priodi Mari, ei chwaer. Dwi ddim yn meddwl fod yne ryw lawer o gariad rhyngddyn nhw ill dau, ond mi roeddwn i wedi meddwl cael golwg ar Mari Howells, oedd i fod yn un o'r merched hardda yn y sir, a meddwl falle y bydde Dic hefyd wedi dod i'r oedfa. Siom ges i hefo hynny; doedd y naill na'r llall yno. Ond i neud i fyny am hynny, roedd yne un o'r merched dela a weles i 'rioed yn eiste bron gyferbyn â mi yn y seti ochor. Fedra i ddim deud sut oedd Morgan Howells yn pregethu y noson honno; hel breuddwydion am yr eneth hardd oeddwn i. A dyne'r rheswm arall dros fynd i'r capel o hynny 'mlaen.

Doeddwn i 'rioed wedi cael trafferth i gyfarfod a dod i nabod merched ifinc, ond doedd dod i nabod y ferch hon – Mari oedd ei henw hithe hefyd – ddim yn rhwydd. A mi fuo'n rhaid imi fynd i'r capel lawer nos Sul cyn y medres i ddod i siarad hefo hi. A finne, oedd yn arfer medru swyno merched, yn ei chael hi'n ddigon anodd i gynnal sgwrs. Ond o'r diwedd mi ddoethon yn ffrindie, ac o dipyn i beth mi dyfodd y cyfeillgarwch hwnnw i fod yn rhywbeth mwy. Cryn dipyn yn fwy. A mi fydde Mari a finne'n dringo i fyny o'r dyffryn ac yn crwydro law yn llaw ar Fynydd Aberdâr neu Fynydd Merthyr, yn chwilio am lysie a deiliach a gwreiddie, a chael pleser yng nghwmni'n gilydd, ac yn trafod popeth dan haul.

Y gaea hwnnw, diwedd '29 a dechre '30, roedd hi'n galed, yn galed iawn. Dirwasgiad difrifol, fawr iawn o ofyn am haearn, a hynny am bris isel, ac yn dilyn hynny diweithdra, a'r rhai oedd yn gweithio yn y gwaith haearn a'r rhai yn y pwll glo, fel fi, yn gweithio amser byr ar gyflog bach. Yr hen bobol a'r plant lleia oedd yn diodde fwya; roedd rheini'n llwydo ac yn teneuo o ddydd i ddydd, ac yn colli'r dydd hefyd, ac angladde'n ddigwyddiade dyddiol cyffredin. Doedd yne ddim bwyd; nage, dydi hynny ddim yn iawn, mi roedd yne fwyd ond doedd yne ddim arian i brynu bwyd. Roedd y cegine cawl yn gneud eu gore, ond doedd hynny ddim yn ddigon i fwydo'r miloedd oedd mewn eisie. Chware teg i Joseph Tregelles Price, y fo oedd meistr gwaith haearn Mynachlog Nedd, ac yn Grynwr, y fo oedd wedi rhoi'r arian i redeg y cegine cawl. Ond chafwyd dim byd oddi ar law William Crawshay; dim byd, dim byd ond gweld y cerbyde a'r bobol fawr yn cyrchu i

Gastell Cyfarthfa i wledda a mwynhau rhialtwch yn y partïon. Mi allet ddisgwyl y bydde gweld y cegine cawl yn codi cywilydd ar Crawshay, ond dwi'n meddwl mai gwylltio roedd o wrth eu gweld nhw. Roedd o'n gneud ei ore i sathru'r gweithwyr yn y baw, tra oedd Tregelles Price yn gneud ei ore i'w cynnal nhw, ac yn rhoi cawl iddyn nhw. Na, doedd Crawshay ddim yn fodlon llacio'r mymryn lleia ar drefn talu cyfloge.

Dyna oedd yn poeni Mari pan fydden ni'n cerdded, sef yr annhegwch ofnadwy. Yr ariannog yn gloddesta tra oedd y tlawd yn marw.

"Mae'n rhaid i bethe newid, Tomi. Mae isio i rywun fynd i siarad hefo'r meistri. Mae ganddyn nhw ddigon o arian i gael y partïon mawr yma a mae'n rhaid eu bod nhw'n gweld sut y mae hi i lawr yn y dre. Dydyn nhw ddim yn ddall. Mae yne bobol yn marw o isio bwyd bob dydd. Dyne ti Wil, y Foel, wedi cael blwyddyn o garchar am ei fod o wedi cymyd hanner chwaden oedd wedi cael ei lluchio ar ôl rhyw barti ym mis Hydref. Wedi dwyn, medde'r ustus, ond fedri di ddim deud 'dwyn' am gymyd rhywbeth oedd wedi cael ei luchio, yn na fedri di? A phwy sy'n mynd i edrych ar ôl Siân a'r plant rŵan?"

"Pwy gei di i siarad hefo Crawshay, Mari? Neith o ddim gwrando dim ar neb. Yr unig beth sy'n mynd i neud iddo fo wrando, ydi bod yne fygwth cau'r gwaith i lawr, diffodd y ffwrneisi, a fydd hynny ddim yn digwydd os na fydd y gweithwyr i gyd yn cefnogi'i gilydd. Ac yn y fan yne dyne ti'n sôn am undeb, ac undeb ydi'r un peth na neith Crawshay ddim ei ganiatáu. Ond mae yne deimlad gwrthryfelgar yn codi. 'Wrach fod hynny'n deud gormod, ond mae 'ne anufudd-dod yn 'yn mysg ni. Be wyt ti'n ddisgwyl dan y fath amgylchiade? Maen nhw'n deud fod gweithwyr gwaith haearn y Farteg wedi mynd ar streic, a'u bod nhw wedi bod ar barêd drwy Bont-y-pŵl. Andros o le yne! Dwi'n meddwl nad oes ond isio 'chydig bach na fydd y sir yma i gyd yn wenfflam.

"Ond dydi'r meistri ddim i gyd yr un fath, cofia; mae yne rai yn well na'i gilydd. Dyne ti Crawshay ar y naill law a Joseph Tregelles Price ar y llall. Mae yne betisiwn o flaen Tŷ'r Cyffredin y dyddie yma gan Moggeridge – a mae o'n ustus ac yn berchen gwaith glo – i drio dileu yr hen dalu drwy daleb yma, i gael madel â'r *tommy shop,* y *truck;* hwnnw ydi'r drwg mawr. Petasen ni'n cael tâl mewn arian iawn, mi fedren ni brynu mewn siope erill, yn lle siope'r meistri, a thalu pris teg am fwyd a hwnnw'n fwyd da, yn lle'n bod ni'n gorfod talu prisie uchel annheg am hen fwyd sâl."

Mi sylweddoles 'mod i'n dechre siarad fel y bues i'n siarad yn Stryt Isa, ond mi roeddwn i'n ofalus mai dim ond hefo Mari y byddwn i'n sôn am y fath bethe.

Mi fuodd petisiwn Moggeridge yn Nhŷ'r Cyffredin yn llwyddiant, ond ddaeth yne ddim llawer o welliant i'r gweithwyr. Roedd rhai o'r meistri'n anwybyddu'r ddeddf ac yn parhau i dalu hefo taleb, a rhai erill yn cymyd arnyn i wrando ond yn rhoi 'u siope nhw yn nwylo perthnase, a doedd hynny ddim gwell. A mwy na hynny, be neuthon nhw hefyd ond cwtogi cyfloge'r gweithwyr eto.

Tua'r amser yma mi ddaeth Dic Penderyn yn ei ôl. A mi roedd o i'w weld o gwmpas hefo ffrind – haliwr arall – o'r enw Lewis, ond fel Lewsyn yr Heliwr yr adwaenid ef gan bawb. Dwi ddim yn ame nad oedd y ddau yn perthyn hefyd. Roeddwn i'n clywed 'u bod nhw'n yfed yn yr Angel, ond doeddwn i ddim yn gneud llawer hefo nhw achos roedd Mari'n bwysicach i mi.

Roedd yr anniddigrwydd a'r anfodlonrwydd yn codi yn donne; roeddet ti'n teimlo hynny yn y tafarne. A mi roedd yne ddynion yn dod i lawr o Loegr i gynhyrfu'r dŵr, ac yn sôn am undebe, ac am Ddeddf Diwygio, a mi roeddwn i'n teimlo weithie 'mod i'n edrych ar wyneb y dŵr a bod hwnnw bron â chodi i ferwi. A berwi fuodd hefyd. Mi alwyd cyfarfod ar Pentwyn Mawr. Fedra i ddim deud pwy ddaru alw'r cyfarfod, ond roedd Dic yno hefo Lewsyn yr Heliwr, a synnwn i fawr nad oedd gan Dic rywbeth i' neud hefo'r trefnu. Roedd yne gannoedd os nad miloedd o weithwyr yno, wedi cyrchu o bob man. A mi roedd Mari wedi mynnu cael dod hefo fi. Trafod prisie bwyd, a pham oedd rhaid i'r bwyd fod mor ddrud, a rhyw siarad a gweiddi yn ôl ac ymlaen, a neb yn cymyd arweiniad na neb yn penderfynu dim.

A phwy ddoth yno yn ddyn i gyd ar gefn ei geffyl ond Fothergill, Aber-nant.

"Why aren't you men working, instead of wasting time on top of a mountain?" gofynnodd. "You complain about your wages, and here you are wasting time!"

55

Mae'n debyg mai dyne'r wreichionen oedd isio i ddod â'r dynion i'r un feddwl. Mewn munud roedden nhw wedi gwasgu o'i gwmpas, ac yn gweiddi.

"Why don't you give us work then, instead of laying us off, then we wouldn't have time to be on the mountain!"

"Why do you still pay truck?"

"Why don't you pay us ten shillings a week, and the balance every fortnight?"

"Why are truck-shop prices thirty per cent higher than other shops?"

"We've earned our money. Why do we have to wait for a month for it?"

Ac ar ôl pob cwestiwn roedd yne floedd o "Ia! ia!" "Why? Why?" gan y cannoedd oedd yn gwrando; roedd y sŵn yn ddigon i godi braw ar unrhyw un.

Erbyn hyn roedd ceffyl Fothergill wedi mynd yn nerfus ofnadwy, ac yn dechre dawnsio; roedd yne ddynion yn cydio yn ei ffrwyn o, ac yn cydio yn y cyfrwy a'r gwarthafle, ac yn plycio yn nillad Fothergill. Roeddwn i'n sefyll reit yn ei ymyl o a roedd o wedi mynd yn wyn fel y galchen, ac yn dechre crynu drosto, a'i lygid o'n edrych i bobman, yn chwilio am le i ffoi.

"I need time to consider these questions," medde fo. "Let us have a week to calm down, and then send your leaders to me to discuss matters."

"I be mae o isio wythnos i feddwl?" gofynnodd llais cry y tu ôl i mi, a mi drois i edrych pwy oedd perchen y llais. Wiliam Jones, un arall o ffrindie Dic. "Mae o'n gwbod yn iawn sut mae hi arnon ni, a hynny ers wythnose." A gwaeddodd yn uwch o lawer, "Why don't you decide now? We know what we want, and we know you can afford it. Pay us proper money, and pay us proper rates!"

Roedd ymateb y dorf i hyn yn fyddarol, ac yn mynd ymlaen ac ymlaen, a mae'n debyg fod Fothergill yn ddigon call i weld y bydde'n rhaid iddo addo rhywbeth cyn y bydde fo'n cael dod yn rhydd o afel y dynion oedd o'i gwmpas o.

"I make you this promise, then, and my men at Aber-nant know that I am a man of my word. I will do my utmost to persuade my fellow coalowners to agree to review their pay arrangements."

Doedd yne neb penboeth iawn yn ei ymyl o yn y dorf, neb i

godi mwy o helynt, beth bynnag, ac wedi clywed yr addewid mi ddaru nhw adel iddo fo fynd. Dwi ddim yn meddwl y buodd o 'rioed mor falch o gael ei draed yn rhydd, a charlamodd i ffwrdd.

A chware teg iddo fo, mi gadwodd ei air, a mi gafwyd cytundeb gan y meistri. Tri pheth: i gadw pris y glo yn bris teg, i dalu cyflog wythnosol, a hynny mewn arian nid taleb, a thalu'r gweddill ar ddiwedd y mis. Ond, a dyna'r siom, yn cwtogi ar faint o lo oedd i gael ei godi. Roedden ni wedi ennill rhyw gymint ond wedi colli mwy; roedd yr arian oedden ni'n ei gael yn llai.

A mi aeth yn streic yn Crymlyn, ond doedd honno ddim yn ddigon cadarn, ac mi aeth y dynion yn eu hole ar ôl pedwar diwrnod. Fedren nhw ddim aros allan; 'doedden nhw ar lwgu!

Y peth nesa glywson ni oedd fod y meistri'n mynd i gwtogi cyfloge eto! Am wn i roedden nhw'n meddwl eu bod nhw wedi torri crib y gweithiwr, wedi torri clonne pawb. Ond doedden ni ddim am gymyd dim mwy ganddyn nhw; roedden ni wedi diodde i'r eitha, wedi gweld y plant a'r hen bobol yn marw o isio bwyd, ac wedi gweld afiechydon yn sgubo drwy'r trefi am nad oedd yne ddim dŵr glân, a phawb mewn gwendid. Roedd yr amser wedi dod i sefyll; roedd yr amser wedi dod i ddangos asgwrn cefn. A mi gawsom gyfarfod mawr ar ben y mynydd, a'r ffagle'n taflu gole coch ar y dorf, a chysgodion hirion duon, a phenderfynu nad oedd neb yn mynd i weithio am y mymryn cyflog yr oedden nhw'n ei gynnig, a bod pawb yn sefyll gyda'i gilydd, ac y bydde pob pwll ar gau. Roedden ni wedi dysgu, wrth weld streic y Farteg a rhai tebyg yn methu, bod yn rhaid inni sefyll hefo'n gilydd, bawb, ysgwydd wrth ysgwydd.

Mis Mai '30. Streic! Roedd yne ryw gynnwrf a chadernid, bron iawn na fedrech chi ei deimlo fo. Doedd yne ddim troi'n ôl y tro yma! A thawelwch rhyfedd; dim tane, dim peirianne, dim sŵn morthwylio. Pedwar diwrnod, pum diwrnod a phawb yn dal yn gadarn. Y chweched diwrnod! Neges gan y meistri eu bod nhw'n cytuno i bob peth yr oedden ni'n gofyn amdano: codi'r cyflog yn ôl i'r hyn oedd o, cynnydd yn y maint o lo oedd i'w godi, cyflogi mwy o weithwyr, talu hefo arian a dim talebe. Hwrê! Llwyddiant! Pob gofyn wedi'i ateb! Dyna ddod â gorthrwm y meistri i ben!

Doedden ni ddim yn dallt ar y dechre, ond nid rhoi i fewn i'r streic ddaru'r meistri. Nage! Ymateb ddaru nhw i'r ffaith fod yne fwy o ofyn am haearn, a bod y dirwasgiad yn dod i ben. Nid ymateb i'r streic oedd rhoi telere gwell i'r gweithwyr, ond cyfle i werthu haearn unwaith eto, a gneud mwy o elw iddyn nhw 'u hunen! Dwi'n meddwl fod clywed y tawelwch – os medri di glywed tawelwch – wedi gneud cymint â dim byd arall i neud i Crawshay ei hun gytuno i well telere. Mi alle fod wedi rhoi gwell telere ynghynt; roedd o'n gwbod fod yne fwy o alw am haearn, ond roedd o isio dal i wasgu ar y gweithwyr. Ond roedd y tawelwch yn fwy na fedre fo ddiodde. Gneud elw oedd yn rheoli ei fywyd o – bywyde'r meistri i gyd o ran hynny – a hynny oedd yn rheoli'n bywyde ninne hefyd! Elw oedd enw eu duwies nhw!

Ond roedd pethe'n edrych yn well; roedd yne waith i bawb, roedd yne arian i brynu bwyd, ac i brynu cwrw. A mi roeddwn i'n ôl yn mynychu'r Angel, ac wedi troi 'nghefn ar y capel Methodus! Pam? Huw, wyt ti'n gofyn pam? Wel, dyma pam – roedd fy Mari i wedi cael ei swyno gan Dic Penderyn; roedd hi wedi ei glywed o, â'i dafod arian, yn dadlu'n huawdl ac yn boeth am undeb, ac am y Ddeddf Diwygio, ac am fynnu siarad hefo'r meistri, ac am eu darbwyllo nhw am iawndere'r gweithiwr! Yr union bethe y buodd hi'n sôn amdanyn nhw hefo fi, ond 'wrach fod Dic yn barotach ei ddadl, ac yn gryfach ei syniade nag oeddwn i. Beth bynnag oedd y rheswm, roedd hi fel cysgod i Dic, ac yn cymyd fawr iawn o sylw ohona i.

A dyne ddiwedd y cyfeillgarwch clòs rhwng Dic a minne. Roedden ni'n iawn, cofia, ond fuodd hi byth yr un fath wedyn.

Y peth nesa glywes i oedd fod Dic yn ei ôl yn gweithio, a'i fod o a Mari yn priodi, ac yn dod i fyw i Ynys-gau, yn rhy agos o beth dialedd i dŷ Mary O'Rourke. Wrth edrych yn ôl, mae'n rhaid 'y mod i wedi suro; doeddwn i erioed wedi cael 'y ngwrthod gan ferch o'r blaen, ac er nad oedd yne ddealltwrieth bendant, gadarn rhwng Mari a mi, roeddwn i'n teimlo o ddifri fod yne rywbeth arbennig rhyngddon ni. A mi es i ar y cwrw'n o drwm. A be sy'n digwydd wedyn? Wedi cychwyn ar y cwrw? Ia, hawdd y gelli di ofyn, Huw. Doedd fyw i neb ddeud gair croes wrtha i, nad oeddwn i yn ei wddw o, a mi ddechreues gael dipyn o enw fel ymladdwr. Roeddwn i'n ugien oed, a 'nghorff i'n gyhyrog ac yn galed, a mi roedd yne ryw fileinder yno' i na fu 'rioed yno' i o'r blaen. Roedd y ddysg ges i gan Wiliam yn dangos rŵan. Cyn amled â dim roedd dwrn chwith o dan y senne, a'r dde dan gliced yr ên wrth iddo fo blygu 'mlaen yn ddigon, a'r 'cyfaill' yn llyfu'r llawr ac yn llonydd. Cyn bo hir roeddwn i'n ymladd am arian, ac yn ennill.

Mwy o arian, mwy o gwrw; mwy o gwrw, mwy o ymladd; mwy o ymladd, mwy o arian, fel rhyw gylch diddiwedd. Roedd Mary O'Rourke yn deud y drefn wrtha i yn gyson, a'i llais hi oedd yr unig un y byddwn i'n fodlon gwrando arno.

"You're after becoming a drunk! D'y' know that, Tomi? A fighting drunk! And you'll soon be a worthless drunk as well. No good will come of this, believe me. Give it up. So you've lost your wee colleen, so what? Think of someone else instead of yourself all the time. You might even think of the poor people who keep asking for your medicines."

A dwi'n meddwl mai dyna ddaeth â fi at fy nghoed, meddwl am Martha'n siarsio imi neud defnydd o'r 'wybodeth nad ydi o ddim ar gael i lawer'. Am fod yne fwy o weithwyr mewn gwaith, roedd yne fwy o anafiade a briwie a dolurie, a doeddwn i ddim wedi hel 'run llysieuyn ers naw ne' ddeg mis, ddim wedi gneud dim. Ac yn ddiweddar doeddwn i ddim wedi meddwl am y peth, hyd yn oed, ac yn siŵr doedd gen i mo'r awydd.

"Mary, you're right as usual. Sunday we spend searching for healing plants. That's the end of the drinking sessions." A felly fu, a llithro allan o'r arfer yfed yn rhwydd. 'Wrach 'y mod i wedi dod dros y siom deimles i hefo Mari, neu 'wrach 'y mod i'n dechre ffieiddio wrtha i fy hun. Beth bynnag oedd y rheswm, fore Sul roeddwn i'n cychwyn a'r sach ar fy nghefn i chwilio am Wlydd yr Iâr, a Llewyg yr Iâr a Llysie'r Llygad; mi fydde isio'r rheini i neud diferion ac eli i'r llygid. A Llysie Pen Tai ac Eiddew ac Ysgaw Mair at losgiade. A roedd isio Comffri, ac Eurinllys, a Phengaled i neud eli briwie. A hel rhai llysie i mi fy hun hefyd, fel Llewyg yr Iâr i gael 'madel â'r llau, a Cedorydd Bach at y chwain – a deud y gwir doeddwn i ddim wedi cymyd llawer o ofal ohonof fy hun ers misoedd. Roeddwn i'n teimlo'n 'sgafnach ac yn iachach yn barod.

"Me mother used to pick this one, Tomi," medde Mary. "What do you call it? Me mother used to say it was good for woman troubles. I think we call it Motherwort."

"We call it Mamlys, Mary, and Martha used to collect it as well, but she never told me what it was for."

Wrth i'r gaea nesu, roedd yne sôn gan y meistri fod haearn yn mynd yn anos i'w werthu eto. Ac yn sydyn, ar ôl cyfnod pan oedd pob gwaith yn brysur a'r dynion yn weddol gyfforddus, roedd yne ddiswyddo, a sôn am gwtogi cyfloge eto. Roedden ni yng nghanol dirwasgiad, a'r gweithwyr yn gorfod diodde unwaith eto. A phan oedd yne gwtogi gwaith yn y gaea roedd hi'n gletach ar bawb. Ond doedd Crawshay ddim yn gorfod tynhau ei wregys; doedd yne ddim pall ar y partïon yn y Castell.

Yr oedd Duwies Elw'n teyrnasu eto, yn gwenu ar y cyfoethog ac yn troi ei chefn ar y tlawd.

Dwi'n credu ei bod hi'n galetach y gaea hwnnw na'r gaea cynt. Roedd hi'n oerach, mae hynny'n siŵr. A rhwng yr oerfel, y rhew, a'r newyn, roedd y digalondid i'w deimlo bron fel cwmwl uwchben y dyffryn. Budreddi ac afiechyd, medd-dod a dyled, be arall alle rhywun ddisgwyl o fywyd? Roedd y gweithwyr yn cofio am y streic fis Mai'r flwyddyn cynt, ond eleni roedd yne arweinwyr, a'r rheini'n siarad am iawndere cyfartal y gweithiwr, am urddas yr unigolyn, am oddefgarwch, ac yn trafod undebeth a Deddf Diwygio. Roedd Dic Penderyn yn gry dros siarad ac ymresymu hefo'r meistri, ond roedd ei ffrind, Lewsyn yr Heliwr, yn dal mai isio'u herio nhw oedd, nad oedden nhw ddim yn dallt dim byd ond grym nerth. Roedd pob tafarn yn ferw, a'r teimlade'n dechre codi fel cynt.

Yn yr Angel yr oedden ni'r noson honno.

"Gadewch i ni ddod allan ar streic eto," medde Lewsyn, "Mi gawson be oedden ni'n ofyn amdano pan aethon ni ar streic fis Mai y llynedd."

"Na, mae'n llawer rhy gynnar ar y flwyddyn; mae'n rhy oer, a mae yne ddigon o haearn wrth gefn gynyn nhw," oedd barn Dai Llaw Haearn. "Mi fedran nhw ddal ati am wythnose, a'r ffaith foel ydi, na fedrwn *ni* ddim. Na, gweithredu sy isio. Bygwth, ia, eu bygwth nhw yn eu cartrefi. Mae gynyn nhw fwy o feddwl o'r rheini na sy gynyn nhw ohonon ni."

"Ia, ia, gweithredu sy isio." Roedd yne leisie'n codi yn y dafarn.

"Ia, gweithredu, yn berffaith siŵr, gweithredu," mynnai Thomas Llewelyn. "Ond gweithredu yn nes adre. I be mae isio mynd ddim pellach na thŷ Tom Lewis, prif swyddog Llys y

Dyledwyr? Y fo sy'n mynd â'n dodrefn ni, ac am y ddyled leia. Ne' be am Coffin? Be am weithredu'n uniongyrchol yn erbyn hwnnw? Ci bach Crawshay ydi o. Be am fynnu cael ei lyfre fo, a dileu pob dyled?"

"Na, gwrandwch, peidiwch â bod yn benboeth; gadewch i ni roi cais ar gael siarad hefo nhw. Fyddwn ni ddim gwaeth o neud hynny, a mi fydd gynnon ni fwy o reswm i weithredu wedyn os byddwn ni'n methu," mynnodd Dic, gan siarad yn bwyllog.

Roedd nifer yn cefnogi Thomas Llewelyn, a nifer yn cefnogi Dic, a gwahanu heb benderfynu dim fu hi'r noson honno. Ond roedd y gwres yn codi; roedd yne deimlad fel petase 'ne fellt yn yr awyr, ac na chymere hi ddim llawer i godi teimlade i'r berw, ac y bydde 'ne ffrwydrad cyn bo hir. Ond ddaeth hi ddim i hynny'r pryd hwnnw, a rhyw farweiddio wnaeth y tân unwaith eto. Ni ddiffoddodd yn llwyr, serch 'ny, ond rhyw farwlosgi o hyd, ac ambell fflam yn codi weithie ac yn y man.

Ddiwedd Mawrth mi ddaeth yne neges gan Crawshay: "Because of the depression in the Iron Trade and the consequent difficulties in the sale of iron, I hereby give notice of intention to cut wages by forty per cent", a mi ddiswyddodd dros bedwar ugien o weithwyr. 'Notice of intention' – nid torri'n cyfloge ni, dim ond bygwth gneud. Ond mi fydde hynny'n torri'n cyfloge ni bron i'r hanner, Huw. Ac ar yr un pryd, cyn inni sylweddoli'n iawn be oedd yn digwydd, a chyn i neb godi yn ei erbyn, mi gyhoeddodd y bydde yne 'Night of Illuminations' yn nechre Ebrill i hybu achos y Ddeddf Diwygio. Dwn i ddim oedd o wedi gneud y ddau beth yn bwrpasol; mi fydde'n gwbod yn iawn y bydde trigolion Merthyr yn edrych ymlaen at noson o rialtwch. Ond a oedd o wedi cyhoeddi'r goleuade er mwyn tynnu sylw oddi ar y diswyddo? Dwn i ddim. Doedd o ddim *wedi* torri cyfloge, dim ond bygwth gneud. Mi fydde gneud hynny wedi effeithio ar filoedd, ac wedi codi helynt, a dim ond rhyw 'chydig oedd wedi colli'u gwaith. Huw bach, doedd o ddim wedi cael yr enw 'The Merthyr Iron King' heb ei haeddu o; tra oedd o'n medru bod yn galed, yn galed iawn, roedd o'n medru bod yn gyfrwys iawn hefyd.

A felly y buodd hi; edrych ymlaen at yr *illuminations* ar y naill law, ac ofni be fydde datganiad nesa Crawshay ar y llall.

"Mae gen i isio gair hefo ti, Tomi North," medde Dai Llaw

Haearn. "Dwi 'di dy weld di hefo dy ddyrne, a mi rwyt ti'n dda, yn dda iawn. A mae isio rhywbeth gwell i' neud nag edrych ar ryw *illuminations*, yn does? A ma' 'ne amryw ohonon ni wedi bod yn meddwl, faset ti'n fodlon ymladd hefo'r Gwyddel, Victor?"

Roeddwn i wedi gweld y Victor yma o gwmpas Merthyr, ac wedi clywed amdano fo hefo'i ddyrne, ond doeddwn i ddim wedi ei weld o'n ymladd. Doedd o ddim yn dal iawn ond roedd lled ei sgwydde fo bron gymesur â'i daldra; dyn sgwâr, caled, a mi allwn i feddwl fod yne ryw gryfder rhyfeddol yn y ddau ddwrn. Roedd pawb ym Merthyr yn cael llysenw o ryw fath, a chan ei fod o'n dod o Bray y tu allan i Ddulyn, 'Vicar of Bray' oedd o'n cael ei alw.

"Dwi 'di rhoi'r gore i ymladd, Dai," atebes i. "Dwi ddim wedi ymladd ers misoedd. Na, 'sgin i ddim llawer o awydd."

"Dyne oeddwn i'n ofni," medde Dai. "Roedden nhw'n deud mai ymladdwr ffansi oeddet ti; na fydde gen ti ddim llawer o awydd dod i 'scratsh' hefo ymladdwr henffasiwn, a hwnnw o ddifri. Na hidia ddim, mi ddown i o hyd i rywun arall â mwy o galon!"

Dwi'n gwbod mai deud hynny dim ond er mwyn 'y ngwylltio i oedd Dai, ond faswn i ddim yn medru diodde meddwl fod pobol yn deud hynny amdana i. Roeddwn i wedi caledu, a chryfhau a mileinio ers diwrnod Billy Joy. Roeddwn i wedi adennill dipyn go lew o hunan-barch, a mi benderfynis yn y fan a'r lle.

"Os mai dyna be ma'n nhw'n feddwl, does yne ddim ond un prawf, yn nag oes, Dai? Nos yfory tu cefn i'r Angel, 'te. Ond 'dan ni ddim yn ymladd am arian, dim ond i weld pwy ydi'r gore. O! ia, a dywed wrtho fo am beidio gwisgo sgidie." Roedd hon yn mynd i fod yn ddigon caled heb fod yne beryg cicio hefyd.

Roedd yne filoedd wedi dod i gerdded ac i weld yr *illuminations* y noson honno, ond roedd andros o dwr o ddynion wedi hel tu 'nôl i'r Angel i weld y 'Vicar' a finne.

"Lwc iti heno, Tomi North!" "Hwyl iti, Tomi!" "Dangos i'r hen Wyddel be 'di Cymro, Tomi." "Dwi 'di rhoi coron arnat ti, Tomi; pob lwc iti." Roedd y cyfarchion yn dod o bob ochor. A phan gyrhaeddes i'r Angel, roedd Dic Penderyn a Dai yno yn disgwyl amdana i.

"Reit, does yne ddim pwrs arian rhyngddoch chi heno, Tomi,

ond ma' 'ne fetio dychrynllyd; feder neb rwystro'r betio! 'Dan ni ddim wedi cael Cymro a Gwyddel yn ymladd o ddifri ers blynyddoedd, a ma' 'ne bobol yn mynd yn wyllt! Fi a Dic yma fydd tu cefn i ti; mi wnawn ni edrych na fydd yne ddim tricie budur, ond cymer ofal, bendith y Tad!"

Roedd y Vicar yno, a thwr o Wyddelod o'i gwmpas, a mi weles ei fod o'n cymyd ei enw o ddifri – roedd o'n gwisgo coler wen! 'Wrach ei fod o'n gobeithio rhoi'r eneiniad ola i mi! Roedd ôl ambell i sgarmes ar ei wyneb o – ei drwyn o'n gam, ôl creithie yn yr aelie uwchben y ddau lygad, a'i ddwy glust o wedi cael amal i ddyrnod ac wedi hen grebachu a mynd yn fychan. Roedd hi'n edrych yn debyg nad oedd gyno fo ddim amddiffyn o gwbwl felly, a'i fod o'n dibynnu'n gyfan gwbwl ar ei nerth; yn cymyd ei ddyrnu ond yn ennill am ei fod o mor gry. Roedd o dipyn yn hŷn na fi hefyd, bumb ne' chwe blynedd. Wedi cael ambell i glec i'w ben, yn ôl pob golwg, a mi fydde hynny'n siŵr o fod wedi cael effaith ar pa mor fuan oedd o'n medru meddwl. Ond roedd o'n gry, a faswn i'n para dim yn cyfnewid dyrnod am ddyrnod. Roedd y meddylie yma'n rhedeg drwy'n meddwl i tra oeddwn i'n 'styried sut oeddwn i'n mynd i'w wynebu o. 'Ymladdwr ffansi' oedden nhw'n feddwl oeddwn i, ia? Wel, mi fydde'n rhaid dangos iddyn nhw! Taro a dawnsio, taro a dawnsio, a dilyn be oedd Wiliam wedi'i ddysgu imi, dyne fydde hi heno.

"Come to the mark." Gorchymyn y canolwr.

"Shake hands, Tomi North." Cynigiodd y Vicar ei law imi.

Ond doeddwn i ddim am fentro hynny hefo'r dwylo fel rhawie yne. "Maybe afterwards, Vicar, to show no hard feelings!"

A dyne ddechre. 'Rargen, dydi o ddim yn arwain hefo'r chwith, nac yn *southpaw* chwaith, dim ond cerdded yn syth ymlaen, a'i sgwydde'n sgwâr, a'r ddau ddwrn yn pledu yn barod. Mi gymeres un ar y penelin, a theimlo 'mraich yn cael ei hyrddio'n ôl, cyn imi ddod dros 'n syndod am ei osodiad o. Dawnsio o'r ffordd. Sut ydw i'n mynd i ymladd hwn? Does fyw imi ddim ond sefyll o'i flaen o; mi fydd wedi'n lladd i. Dawnsio eto, a chwith i'w wyneb o. Dyna pam mae ganddo fo gymint o greithie; feder o ddim amddiffyn. Chwith arall i'w wyneb o. Dwi'n medru plannu dwrn rhwng ei ddau ddwrn o bob tro. Dydi o ddim ond yn ysgwyd ei ben, a dod ymlaen eto. Ymladdwyr chwith

63

ymlaen fydd o wedi'u hymladd fwya, yn siŵr; ma' 'ne fwy o'r rheini, a fydd o ddim wedi arfer gymint â hynny hefo paffiwr a'i dde ymlaen. Chwith o dan ei senne fo; mae hynny fel taro drws derw. Mi tria i hi fel *southpaw* i weld fedra i lithro heibio fo i'r chwith. Y dde i'w wyneb o y tro yma; dim effaith o gwbwl.

Roeddwn i'n clywed gweiddi o 'nghwmpas. "Stand up to him, Tomi." "Stand your ground, Welshman." "Stop your fancy stuff, and fight!" "Come on, Vicar! Nail 'im!"

Sut ydw i'n mynd i guro hwn? Fedra i ddim sefyll o'i flaen o a gadel iddo fo 'nal i ar ochor y cylch dynion; mi torrith fi'n gyrbibion! Y dde i'w lygad o; dydi o ddim ond yn ysgwyd ei ben fel tarw, yn dal ei ên yn dynn ar ei frest, ac yn dal i gerdded ymlaen a'r ddau ddwrn yn pwmpio. Mae cymyd rheini ar 'y mreichie'n ddigon rhwydd; dwi'n gweld pob dyrnod fel mae hi'n cychwyn. Ond am ba hyd fedra i neud hynny? Mae o mor gry! Taswn i ddim ond yn medru cael dwrn dan ei ên o, mi faswn i'n medru gneud rhywbeth ohoni. Dawnsio mewn cylch o'i gwmpas o. De, chwith, de i'w wyneb o a dawnsio'n ôl. Waeth imi heb â thrio dyrnod i'w gorff o, mae o'n galed fel haearn; waeth imi heb â'i ddyrnu o yn ei wyneb, dydi o ddim yn cymyd dim sylw. Mynd am y pen, mynd am y pen, ond sut? Dwrn i'w wyneb o, llithro i'r dde a dyrnod i'w dalcen o wrth fynd heibio. Mae o'n troi yn ara ar 'yn ôl i. Eto i'w wyneb o, llithro i'r chwith a dyrnod i'r talcen de wrth fynd heibio; dydi o ddim yn siŵr lle bydda i nesa. Dyrnu ei dalcen o, chwith, dde, chwith, dde. Helô, dyma'r arwydd cynta ei fod o'n dechre teimlo effaith yr holl ddyrnu; mae ei ên o'n dechre codi oddi ar ei frest o. Rŵan 'te, mae'r dde yn cychwyn bron ar y llawr gen i, ac yn ei ddal o'n gadarn dan ei ên; dwi'n gweld ei lygid o'n croesi, ac yn sydyn mae o'n syrthio'n ôl ar ei eiste.

Doeddwn i ddim yn teimlo llawer o falchder wrth ennill; peiriant ymladd yn unig oedd y Vicar, ond doedd o ddim yn meddwl wrth ymladd. A mi roedd Wiliam wedi 'nysgu i i focsio ac i feddwl wrth focsio. Dyne fo, mae o drosodd, a does gen i ddim ond un i'w ymladd eto, a Billy Joy ydi hwnnw.

"Are you all right, Victor?" a chynnig ysgwyd llaw hefo fo.

"Yes, I'm alright, Tomi," ac yn cymyd 'n llaw i, ac yn gwasgu nes o'n i'n teimlo'r esgyrn yn crenshian. "No hard feelings, eh?" ac yn gwenu wrth 'y ngweld i'n gwingo yn ei afel o. Diolch fyth na ddaru mi ddim ysgwyd llaw cyn yr ymladd! Fydde hi ddim yn rhwydd i ymladd hefo llaw dde yn da i ddim!

Roedd y Cymry o 'nghwmpas i'n gweiddi ac yn gwenu, ac yn curo 'nghefn i.

"Doedd dim ond isio codi dy wrychyn di dipyn, yn'doedd, Tomi North? Doedd yne ddim byd ffansi yn y ffordd ddaru ti lorio'r Vicar! "Gwenodd Dai Llaw Haearn arna i. "A mae gen i hanes ffeit arall i ti…"

"Dim chwaneg, Dai, dyna'r ola." Ym Merthyr, beth bynnag!

Ar funud honno dyma Dic Penderyn aton ni ac yn hanner cario, hanner llusgo Jim Abbott y barbwr. "Roedd hwn yn rhedeg i ffwrdd hefo'n pres ni, Dai; sofren bob un i ti a fi a Dai Solomon a Lewsyn – rhyw fymryn bach i roi blas ar y ffeit!" medde fo gan droi ata i. Ac yna, "Give them to Tomi North, Jim Abbott, at least he deserves them." A dyma fo'n ysgwyd Jim Abbott fel ci yn ysgwyd llygoden, nes y daeth y pedair sofren felen yn rhydd o'i law o a syrthio ar y llawr, ac ynte hefo nhw. "Cymer nhw, Tomi," medde fo yn ddigon swta, gan droi ar ei swdwl a cherdded i ffwrdd. Roeddwn i'n meddwl nad oedd dim rhaid iddo fo fod mor sych, ond mi godes y pedair sofren a'u rhoi nhw yn 'y mhoced, heb feddwl gormod am y peth.

Cododd Jim Abbott ar ei draed ac edrych ar ôl Dic Penderyn, a mi clywes o'n deud rhwng ei ddannedd, "I'll get even with you, Richard Lewis, if it's the last thing I do." A mi feddylies bryd hynny fod Dic wedi bod yn annoeth eto; mi ddyle fod wedi cofio fod Abbott yn un o'r cwnstabliaid.

"I hear there were different *illuminations* in different places tonight, Tomi!" Doedd yne ddim llawer o straeon na hanesion na sibrydion chwaith, nad oedd Mary'n 'u clywed.

"Yes, Mary, but this was for my own self-respect and I hadn't been drinking."

"I know that." Ac yna, "He's a hard man, that Victor." A distawrwydd eto. "But I wish you hadn't; it will only lead to more fights, and one day someone will hurt you, Tomi, and I will not be pleased when that day comes."

"No more fighting for me in Merthyr, Mary. That, at least, I promise you."

Mi roddes y pedair sofren yn 'n sach, hefo'r llyfr llysie, a'u hanghofio nhw.

Erbyn diwedd Ebrill, ganol Mai, roedd y prinder arian, oherwydd yr amser byr a'r cyflog bach, yn dechre brathu.

"Dwi'n dal i ddeud y dylen ni fod yn gweithredu; neith Crawshay ddim gwrando ar neb na dim. Iron King ydi o, ac Iron King fydd o, ond os byddwn ni'n bygwth y gwaith, a diffodd ffwrneisi, mi wrandith wedyn!" Tom Llewelyn oedd wrthi'n dadlu.

"A dw inne'n deud y dylen ni fod yn cychwyn undeb ac wedyn yn mynd ato fo i drafod," medde Dic. "Os cawn ni well telere drwy deg, mae o'n debycach o gadw atyn nhw, a mi rwyt ti'n gwbod cymint o ful ydi o; os byddwn ni'n gweithredu yn ei erbyn o, styfnigo'n waeth neith o."

Yn yr Angel oedden ni eto; gwrando oeddwn i – wedi dysgu 'ngwers cyn dod i lawr i Ferthyr, doeddwn i ddim am ddadle, ddim yn gyhoeddus, beth bynnag. Roedd y dafarn yn llawn, pawb yn derbyn erbyn hyn mai Lewsyn, Dic, Dai a Tom oedd 'n harweinwyr ni, ac yn disgwyl, disgwyl. Roedd y tân fu'n marwlosgi cynt yn dechre cochi; roedden ni'n teimlo 'n bod ni wedi cymyd digon, a'i bod hi'n amser gneud rhywbeth.

"Mae Tom Lewis wedi mynd â phob peth oedd gan Lisi Rees, Tŷ Pen, heddiw – pob darn o ddodrefn – a mae o wedi'u gwerthu nhw am nesa peth i ddim i dalu'r ddyled, a doedd hynny ddim yn ddigon, a mae hi'n cael ei throi allan o'r tŷ. A mae yne rywun yn ei chael hi bob dydd gyno fo. Fedrwn ni ddim ati fel hyn; mae'n rhaid inni neud rhywbeth. 'Dan ni'n mynd yn dlotach bob dydd, ac yn fwy i ddyled bob dydd, a phwy sy'n elwa? Y diawl Crawshay yne! Mae gyno fo bob peth, a dydi o'n diodde dim, a does gynnon ni ddim byd ac yn diodde i'r eitha – ia, yn diodde i'r bedd!" Dai Solomon y coliar yn deud hyn yn dawel, ac yn drist, ond roedd pawb wedi'i glywed.

"Mae Dai yn iawn; mae isio dileu y Court of Requests!"

"Mae'n rhaid i hwnnw fynd gynta!"

"Ia, a Thomas Williams, a Coffin!"

"Ia, rŵan. Rŵan amdani. Dowch, bois."

Roedd y lle'n ferw yn sydyn, a phawb yn gweiddi ar draws ei gilydd, ond doedd y pedwar yn symud dim.

"Arhoswch, 'dan ni ddim am neud dim byd nes y byddwn ni

wedi cael amser i feddwl a threfnu." Dic oedd yn siarad eto. Prin oedd o'n gorfod codi'i lais ond roedd pawb yn gwrando. "Gwrandwch, mi fydd yne gyfarfod mawr ar Waun Fawr nos Lun nesa. Dowch yno i gyd, a deudwch wrth bawb arall am ddod. Trafod y Ddeddf Diwygio y byddwn ni, ond mi fydd yno siaradwr arbennig, arbennig iawn, siaradwr fydd wrth 'ch bodd chi; chewch chi mo'ch siomi."

A dyne oedd ar wefus pawb, pwy fydde'r siaradwr arbennig yma?

Pan ddaeth nos Lun, roedd yne filoedd ar Waun Fawr, miloedd ar filoedd. Y Ddeddf Diwygio? Wrth gwrs roedd isio diwygio Tŷ'r Cyffredin; wrth gwrs fod isio newid y ffordd yr oedd yr aelode'n cael eu hethol; wrth gwrs roedd isio aelod dros Merthyr; ond roedd Llunden ymhell! Beth am drafod pethe oedd yn effeithio arnon ni?

"Ydech chi'n clywed?" Roedd Dai Solomon yn sefyll ar graig ac yn codi'i fraich. "Edrychwch arna i, dwi'n dlawd, a mae pob un ohonoch chi'n dlawd; does gen i ddim ceiniog, na chithe chwaith. A gwrandwch, mae yne arian yn nwylo awdurdode'r plwy sydd i fod i'w rannu i'r tlawd. Be sy'n digwydd i'r arian hwnnw? Lle mae o'n mynd? Dydw *i* ddim yn cael ceiniog gan y plwy. Oes yne *unrhyw un* yn cael cymorth gan y plwy? Dwi'n gofyn ichi, oes yne unrhyw un?"

Doedd Dai ddim yn areithiwr, ond roedd o wedi cael sylw ei wrandawyr.

"Na, does yne neb, dim un ohonon ni. Ac eto mae'r arian yno. Pwy sy'n edrych ar ei ôl o? Swyddogion y plwy. Ond pwy sy'n ei gael o? Mae o'n mynd i rywle, ond i le? Mae gynon ni hawl i'r arian yne; does yne neb yn dlotach na ni, neb yn unman, a does yne'r un geiniog yn dod i ni. Pam?

"Petaen ni'n cael cymorth gan y plwy, fydde'r Court of Requests felltith, Llys y Dyledion, ddim yn medru mynd â'n heiddo ni a'i werthu am arian bach..."

Roedd Dai yn dal i siarad, ond roedd yne sibrwd o'n cwmpas ni ymhob man: "Mae o wedi dod, mae'r siaradwr wedi dod!"

Roedd Dic a Lewsyn yn sefyll hefo dyn tal, eiddil. Ar ryw olwg roedd o'n hardd, ac ar olwg arall yn hynod o ferchetaidd, wedi'i wisgo mewn du; bron iawn na fyddech chi'n deud mai offeiriad oedd o.

Camodd Dic ar y graig. "Mi addewes i y bydde yma siaradwr arbennig heno, a dyma fo i chi. Un o Bolton, Lloegr. William Twiss; rhowch groeso iddo fo."

"Pwy ydi hwn?" Roedd yne gymeradwyeth, ond dyne oedd y cwestiwn ar wefus pawb.

"Comrades, I bring you greetings from our Union Headquarters at Bolton, Lancashire, and from Flintshire and Denbighshire in North Wales."

"Be mae o'n ddeud, Tomi North?"

A chyfieithu fues i wedyn. Mae'r coliars o gwmpas Bolton ar streic am bum swllt y dydd, pum swllt y dydd! A ma'n nhw wedi cael cynnig pedwar swllt ar hugien yr wythnos, ac wedi gwrthod. A mae'r Undeb yn eu cynnal nhw. Mae gan y meistri eu hawlie, a maen nhw'n mynnu'r hawlie rheini, a mae hynny'n deg. Ond mae gynnoch chithe hefyd eich hawlie, hawlie sylfaenol: hawl i gael gwaith a chael cyflog teg am waith, hawl i gael arian i brynu bwyd, i gael lle i fyw, hawl i briodi a magu plant. Mae gan 'ch plant hawlie: hawl i gael bwyd, hawl i gael addysg, hawl i weld gole dydd yn lle düwch y pwll. Mae gan 'ch gwragedd hawlie: hawl i dŷ a gwely, a dŵr, a glanweithdra. Ond ydech chi'n cael 'ch hawlie? Ydyn nhw'n cael eu hawlie?

Mae William Crawshay yn adeiladu Castell i fyw ynddo fo, a chithe'n gorfod byw mewn budreddi ac yn talu rhent iddo fo am gael gneud hynny. Dyn ydi o, a dynion ydech chithe. Ble mae'r cydraddoldeb? Dwi'n edrych o 'nghwmpas, a dwi'n gweld creithie glas ar wyneb y coliar. Welsoch chi greithie glas ar wyneb William Crawshay? Dwi'n gweld creithie cochion llosg ar wyneb y gweithiwr haearn. Oes gan William Crawshay greithie? Ydi o wedi colli llygad? Ydi o wedi colli braich? Ble mae'r cydraddoldeb? Mae'r Castell wedi costio tua deng mil ar hugien o filoedd o bunne, digon i dalu cyflog pob un ohonoch sy yma heno, a mae yma dair mil ohonoch chi. Digon i dalu'ch cyfloge chi am fis. Ble mae'r cydraddoldeb? Mae cloeon a bache dryse'r Castell wedi costio saith gant a hanner o bunnoedd, a mae Lisi Rees wedi cael ei throi allan o'i chartre am ei bod hi'n methu talu dyled o saith bunt. Ble mae'r cydraddoldeb?

Ond mae coliars Bolton wedi cael cynnig pedwar swllt ar hugien yr wythnos, tair gwaith be mae rhai ohonoch chi'n ei dderbyn, a maen nhw'n medru gwrthod y cynnig a dal allan am ddeg swllt ar hugien. A pham? Sut y maen nhw'n medru? Am eu bod nhw'n perthyn i undeb. Am fod yr undeb hwnnw'n medru bod yn gefn iddyn nhw. Mewn undeb mae nerth, y nerth i fedru trafod cyflog cymesur, y nerth i fynnu'ch hawlie sylfaenol.

Weithwyr! Ymunwch ag undeb! Pob un ohonoch chi. Falle nad oes gynnoch chi'r un geiniog i'w rhoi yn y gronfa y funud yma, ond mi ddaw arian, dwi'n addo hynny! Y mae yne arian ar gael! Dwi'n rhoi gwarant o hynny. Mae'ch cyd-weithwyr chi yn Lloegr, ac ym meysydd glo Gogledd Cymru, yn gwbod am 'ch helyntion chi, ac yn cofio amdanoch chi.

Roedd Dai Solomon yn sôn am arian y plwy. Mae o yno i'w gael, i bob un yn ei blwyf ei hun; dyna un o'ch hawlie, mae'n gyfraith. Ond pwy sy'n gwarchod yr arian hwnnw? Pwy ond 'ch meistri chi'ch hunen. Ydech chi'n meddwl eu bod nhw'n mynd i roi arian y plwy ichi ar y naill law, tra'u bod nhw'n 'ch gwasgu chi i'r baw ar y llaw arall? Nag ydyn byth! Ond arian bach ydi hwnnw; mae yne bethe mwy pwysig. Mae gynnoch chi hawl i gyflog safonol, ac ar y funud yma, mae isio i ni droi'n meddylie at y mater hwnnw. Mae'n amser inni, mae'n rhaid inni, ddod â dyddie'r orie byr a'r cyflog bach i ben.

"I advise you to refrain from working any longer." Roedd hi'n rhyfeddol fel yr oedd o'n cael dylanwad ar y miloedd oedd yn gwrando, er nad oedd eu hanner nhw ddim yn dallt. Ond pan ddeudodd o hynny, dyna floedd fawr.

"Are all in favour?" gofynnodd. Bloedd fawr arall o gadarnhad; neb yn erbyn, a hyd yn oed Dic yn pleidleisio o blaid.

"A warning to you all — let your leaders consult with the owners. Don't take matters into your own hands. It is only thirty years ago that two of your own people, Aaron Williams a labourer of Cyfarthfa, and Samuel Hill a collier, went to the gallows for organising a revolt. And we are still fighting the same people. Remember they are the same people!"

A dyne pryd y sylwes i ar y baneri, y baneri coch. Baneri chwyldro oedd rheini yn Ffrainc! Be oedden nhw'n 'i arwyddo ar y Waun Fawr? A ble roedd Twiss? Doedd o ddim i'w weld yn unman. Roedd o wedi diflannu fel ysbryd, gan adel y dorf i gnoi cil ar be ddeudodd o . . .

# Pennod 5

"Mae yne olwg mwy bodlon arnoch chi heddiw, Gwenno."

"Wel, dwi'n siŵr fod yne altreth, Doctor Harri. Mae o'n symud ei freichie a'i goese dipyn go lew, a mae o'n gneud sŵn, bron na fase fo'n deud geirie weithie. A mae ei gyflwr o'n iawn, on' tydi?"

"Ydi, mae ei liw o'n dal yn dda, a'i galon o i'w chlywed yn gry, a mae'r llygid yn symud mymryn pan goda i'r aelie. Dwi'n meddwl fod y cyflwr yn 'sgafnu, ond bobol bach, weles i a chlywes i 'rioed am gyflwr yn para cyhyd."

"Oes yne rywbeth arall y dylwn i ei neud, doctor?"

"Dim ond i chi ei droi o ar ei ochor weithie, rhag iddo fod ormod o amser ar ei gefn, a gwlychu ei wefuse fo, ond peidiwch â thrio rhoi dim byd iddo fo i'w yfed."

"Dwi'n gneud hynny ddwywaith a thair y dydd, ond troi'n ôl ar ei gefn neith o mewn dim o amser, a dwi'n gwlychu gwlanen ac yn ei rhoi hi wrth ei wefuse fo, a heddiw dwi'n meddwl ei fod o bron â sugno mymryn ar honno."

"Os felly, mae hynny'n arwydd da, da iawn. Dwi'n dod yn fwy gobeithiol bob dydd, er na weles i ddim byd tebyg o'r blaen. Dwi'n teimlo'i fod o'n dipyn o hen wariar; mi ddaw drwy hyn eto, gewch chi weld!"

A dyne oedd Johnny Shawnee wedi'i ddeud o'r dechre!

\*     \*     \*

... Fel y baset ti'n disgwyl, roedd hi'n wyllt yn y dre y noson honno, Huw. A'r bore wedyn, tyrfaoedd o ddynion yn cerdded ac yn llenwi'r strydoedd. Pob tafarn yn llawn, a phawb yn trafod araith William Twiss.

"Mae Twiss yn ddyn dewr, achos mae dynion Arglwydd Melbourne yn edrych amdano fo ymhob man, ond ei fod o'n medru llithro o'u gafel nhw bob tro. A dyne pam y daru o ymddangos mor sydyn ar Waun Fawr, yn ddirybudd, a diflannu wedyn; un funud roedd o yne, a'r funud nesa roedd o wedi mynd! Mae yne beryg y bydd yne rywun wedi cario'r stori i'r ustusiaid, a bydd cwnstabliaid neu'r fyddin yn dod o hyd iddo fo. A dyne mae o'n neud, mynd i ble bynnag mae gweithwyr yn cael eu sathru gan y meistri, yn annog iddyn nhw atal eu gwaith, ac yn annog iddyn nhw ffurfio undeb. O Riwabon y daeth o yma, a mi roedd o'n mynd o'r fan hyn yn ei flaen i Stafford. A mae'r Arglwydd Melbourne yn wallgo am na feder o ddim cael ei ddwylo arno fo, achos fel y mae o'n ei gweld hi, y clybie undeb ydi'r pethe perycla mewn bod, a Twiss ydi'r un sy'n eu sefydlu nhw ymhob man."

"Sut oeddech chi'ch pedwar yn gwbod ei fod o'n dod, Dic?"

"O! mae gyno fo'i ffordd ei hun o roi gwbod. Fydde hi ddim yn deg i mi ddeud. Ond roeddwn i'n ddigon pryderus wedi cyhoeddi y bydde yne siaradwr arbennig yn dod, rhag iddo fo ddod i glustie'r ustusiaid ac iddyn nhw roi dau a dau at ei gilydd."

"Be 'dan ni'n neud nesa, Dic?"

"Mae Crawshay wedi cael gwbod 'n bod ni ar streic yn swyddogol. 'Dan ni wedi anfon ato fo i ddeud hynny. Er, roedd hi'n weddol amlwg on'doedd, a hithe fel y bedd yn y gwaith? A mae gweithwyr Pendarren a Dowlais wedi cael gwbod, a 'dan ni'n disgwyl clywed eu bod nhwthe'n dod allan."

"A?"

"Disgwyl rŵan. Cofiwch be ddeudodd Twiss fod isio cadw rheoleth. Mae'n siŵr y bydd Crawshay a Fothergill a Guest a'r criw i gyd yn mynd ati i drafod. Mae'n rhaid inni ddisgwyl i glywed ganddyn nhw."

Fin nos, roedd yne si yn sgubo drwy'r dre.

"Mae yne sôn fod Fothergill yn brolio'i fod o'n talu llai na mae Crawshay'n neud hyd yn oed, a'i fod o'n medru talu pum swllt yn llai nag yden ni'n ei gael, am ei fod o'n fwy cadarn hefo'i ddynion!"

"Pum swllt yn llai nag yden ni'n ei gael? Does yne ddim posib; mae'r diawl yn deud celwydd!"

"Fothergill yn gadarn? Paid â gneud imi chwerthin! Wyt ti'n cofio fel yr oedd o y llynedd? Pan ddaeth o aton ni ar y mynydd, a gofyn pam nad oedden ni'n gweithio? Roedd o'n crynu fel deilen, wyt ti'n cofio?"

"Mae isio mynd yno i ofyn ydi o'n wir."

"Dydi o ddim yn wir, dwi'n gwbod hynny; mae bachgen 'n chwaer yn gweithio iddo fo. Dydi o ddim yn wir."

"Dydi o ddim ond yn deud hynny i godi drwg!"

Roedd y si wedi cynhyrfu pawb, er 'n bod ni'n siŵr bron nad oedd o ddim yn wir. Ond erbyn bore dydd Iau, a'r stori wedi tyfu dros nos, roedd yne bobol wedi colli amynedd, wedi gwylltio, wedi ffyrnigo. Roedd rheoleth yn darfod a gwallgofrwydd yn cymyd ei lle.

"Mi glywsoch fod Fothergill yn brolio'i fod o'n talu llai i'w ddynion hyd yn oed na Crawshay?" Roedd Tom Llewelyn yn sefyll ar fainc y tu allan i'r Angel. "Does yne ddim ond un ffordd o gael y gwir, a hynny ydi gofyn iddo fo'n blaen. Pwy ddaw hefo fi i ofyn iddo fo?"

"Mi ddo i!"

"A fi." "A fi." "A fi." Roedd yne gannoedd yn gweiddi.

Ac i ffwrdd â ni – ia, finne hefo nhw, Huw. I ffwrdd â ni, dros y mynydd yn fintai fawr, yn gweiddi ac yn canu, mewn hwylie da, a Tom Llewelyn yn cerdded yn dalog ar y blaen, ac wedi cael gafel ar faner, ac yn dal honno yn ei law dde, ac yn ei chwifio hi. Mae'n rhaid 'n bod i'n gweld a'n clywed o bell, achos pan ddaru ni gyrredd roedd y giatie haearn mawr ar gau, a tsiaen mawr a chlo amdanyn nhw.

"Dringwch y walie, bois," medde Tom. "Nage, peidiwch â gneud hynny. Mae yne ddigon ohonon ni; pam y mae'n rhaid inni ddringo dros walie? Tynnwch y giatie oddi ar 'u bache, a mi gerddwn ni i mewn gydag urddas."

O fewn munude roedd y giatie wedi'u codi oddi ar eu bache, er cymint oedd eu pwyse nhw, ac wedi'u gosod yn drefnus i bwyso ar y wal.

"Ia, gadewch nhw yn y fan yne, bois, mi fydd yn rhywbeth iddyn nhw 'i neud y pnawn yma!" medde fo dan chwerthin.

Roedd deuddrws mawr y tŷ ar gau hefyd, a phob ffenest. Ac er tynnu'r gloch, a thynnu eto, ac eto, doedd yne ddim ateb i'w gael. A'r dynion mewn eitha hwylie hyd yma, ond yn dechre mynd yn ddiamynedd. Toc roedd yne weiddi, "Foth-er-gill, Foth-er-gill, Foth-er-gill!"

Ffenest yn agor ar y llawr cynta, a Fothergill ei hun yn sefyll yno.

"What do you want?" gofynnodd, ond roedd yne dipyn bach o gryndod yn ei lais.

"We want to talk to you," medde Tom.

"What about, my man?"

"No, you are wrong, *I* am not your man, and *we* want to talk to you about *your* men."

"Well, say what you have to say, and get off my land!"

Ond methu ddaru o drwy gymyd yr agwedd yne, methu'n ofnadwy. Roedd yne chwyrnu mawr, a mae cannoedd o ddynion yn medru gneud digon o sŵn i godi ofn ar neb, heb sôn am hen wlanen fel Fothergill.

"We will say what we have to say, face to face, and inside the house," oedd ateb Tom, yn sarrug. "Come down and open the door, or we will force our way in."

A dod i lawr ac agor y drws a fu, a phump yn cael 'u dewis i fynd i mewn i siarad hefo fo. Doeddwn i ddim yn un o'r pump, ond yn ôl yr hanes, buan iawn oedd o'n cyfadde nad oedd yne ddim gair o wir yn yr hyn oedd o wedi bod yn ei frolio. Doedd yne ddim gorchest yno fo yn gwynebu Tom Llewelyn. A mi roedd o'n ddyn gwan, gwasaidd iawn, pan oedd o'n arwyddo gweithred i gadarnhau nad oedd yne ddim rhithyn o wir yn ei hen frolio mawr.

Fel roeddwn i'n deud, tu allan oeddwn i, a mi roedd yne rai o 'nghwmpas i'n dechre anesmwytho ac yn deud eu bod nhw isio bwyd. Cyn bo hir roedd yne weiddi am fwyd, a phan mae yne gannoedd yn gweiddi "Bara a chwrw a chaws. Bara a chwrw a chaws. Bara a chwrw a chaws", mae isio dyn cadarn iawn i fedru eu hanwybyddu; mwy cadarn na Fothergill, beth bynnag. Buan iawn y rhannwyd cryn dipyn o fara a chwrw a chaws i'r dynion tu allan – hynny oedd ganddyn nhw yn y tŷ, am wn i.

"Beth am fynd heibio'r *truck-shop*?" oedd cynnig rhywun, a'r llafarganu "Bara a chwrw a chaws. Bara a chwrw a chaws," yn parhau. Mae'n rhaid fod y siopwr wedi clywed o bell, ac wedi cael braw, achos erbyn inni gyrredd roedd o wedi taflu hynny oedd ganddo fo o fara a chaws allan drwy'r ffenest, ac wedi cloi bob man.

Roedd Tom Llewelyn wedi cael gafel ar dorth ac wedi ei phlannu hi ar ffon y faner, a dyne lle'r oedd o'n chwifio'r faner a'r dorth yn un llaw, a phapur Fothergill yn y llall, ac yn arwain mintai o ddynion llawen a bodlon iawn yn ôl i Ferthyr.

Pan gyrhaeddon ni, roedd ein nifer wedi cynyddu'n ofnadwy, a thyrfa fwy fyth tu allan i dŷ Thomas Williams, beili Llys y Dyledion. A llawer iawn o'r rheini â choes gordd, ne' gaib, a rhai hyd yn oed a dryll yn eu dwylo.

Roedd y tân a fuodd yn marwlosgi ers i Crawshay fygwth cyfloge ym mis Mawrth, erbyn hyn yn dechre fflamio. Y blynyddoedd o gyflog isel, a phrisie uchel am fwyd, a thalu hefo talebe, a thelere gwaith annioddefol, a'r toriad deugien y cant yn y cyflog diweddara, pob peth hefo'i gilydd wedi eu gyrru nhw'n orffwyll. Roedd 'n criw ni'n dod yn ôl o le Fothergill mewn hwylie da, ond roedd y dyrfa yma mewn cyflwr meddwl gwahanol iawn.

Gan Thomas Williams, y beili, oedd y swydd o weld fod pob dyled i'r siopwyr yn cael ei thalu – a siope'r meistri oedd rheini, cofia. Ac wedyn, os nad oedd y ddyled honno'n cael ei thalu, y fo fydde'n cymyd meddiant o ddodrefn ac eiddo'r methdalwr, ac yn eu gwerthu nhw i leihau'r ddyled. Roedd o'n gas gan bawb. A Joseph Coffin, Sais, clerc y Llys, oedd yn cadw'r cyfrifon i gyd, ynte hefyd yn gas gan bawb. A'r trydydd, Thomas Lewis, benthycwr arian, yn fodlon iawn i roi benthyg ond yn galed iawn pan fynnai ei ddyledion yn ôl; ynte'n gas gan bawb. Dyma'r tri oedd yn gwynebu cynddaredd y dorf.

Curo'n drwm ar ddrws Thomas Williams, heb ateb. Curo eto, a ffenest yn agor.

"Ewch oddi yma, neu mi fydda i'n galw'r cwnstabliaid," oedd bygythiad Thomas Williams.

"Dewch i lawr i agor y drws; mi ryden i isio'r dodrefn rydech chi wedi'i feddiannu," gwaeddodd Lewsyn yn ôl.

"Peidiwch â gwrando arno fo; feder o ddim symud o'r tŷ, feder o ddim galw cwnstabliaid."

"Agorwch y drws ne' mi fyddan yn ei dorri o'n goed tân!"

Roedd y lleisie'n fygythiol, ond ddaru'r drws ddim agor. Clec hefo pastwn, ac yne caib drwy'r drws nes oedd o'n shwtrws, ac i fewn.

"Mae eiddo pawb i fynd yn ôl iddyn nhw, cofiwch!" gwaeddodd Lewsyn yr Heliwr ar dop 'i lais. "Pawb i ddod 'mlaen i nabod ei eiddo'i hun."

"Chewch chi fynd â dim byd oddi yma!" Roedd Thomas Williams yn sgrechian, ac yn sefyll yn y drws erbyn hyn.

74

"Llusga fo allan i'r stryd, y fo a'i ddodrefn; mae o wedi bod yn ddigon parod i lusgo pobol erill allan, ac i lusgo'u dodrefn nhw. Tyd inni weld sut y mae o'n licio cael blas ar ei ffisig ei hun."

Felly y bu, a Thomas Williams yn trio sefyll rhwng y dorf a'r dodrefn, nes i rywun luchio ffagl i'w canol. Roedd ei ddodrefn o i gyd yn dod rŵan – a'r canllaw grisie, a'r llyfre, a'r llunie oddi ar y wal, a hyd yn oed y papur wal ei hun. Y cwbwl yn wenfflam.

Ac ymlaen i dŷ Thomas Lewis – a Lewsyn yr Heliwr yn arwain – a'r un drinieth i hwnnw.

Doedd yne ddim llywodreth o gwbwl erbyn hyn. Gorymdeithio ymlaen i dŷ Joseph Coffin.

"We want the records of the Court. We demand the records of the Court."

"You can have them, here they are," medde Joseph Coffin. A rhoddodd lwyth o lyfre clorie lledr trwchus i ddwylo'r dorf. Ond wrth eu gweld nhw'n llosgi, fedre fo ddim peidio â chrechwenu a deud, "There are copies of every transaction; every account can be re-written – you have gained nothing!"

"Mae o'n meddwl gneud hwyl am 'n penne ni, bois. Ond mae o wedi gwenu'n rhy fuan. O! do! Ni sy'n mynd i gael y gair ola, ni sy'n chwerthin rŵan. Mi fedrwn ninne chware castie. Popeth allan: pob darn o ddodrefn, pob llun, pob llyfr; dewch â phob un peth allan, a thaniwch nhw!"

Bonllef fawr o gymeradwyeth.

"Where are your records now, Joseph Coffin?"

"Are you warm enough by the fire, Coffin?"

"Lle mae dy grechwen di rŵan, yr hen Joseph?"

Roedd yne ysbryd gwrthryfelgar wedi cydio yn y dorf, heb rithyn o reoleth.

"Fel hyn mae hi'n mynd i fod, frodyr." Roedd William Jones yn sefyll ar stôl, yr unig beth oedd heb losgi. 'Dan ni'n mynd i sefyll yn gadarn, ysgwydd wrth ysgwydd mewn undeb. 'Dan i ddim yn mynd i dderbyn y telere difrifol yma byth eto. Mae'n rhaid inni gael cyflog, a hwnnw'n gyflog iawn; fydd yne ddim newyn yn Merthyr ar ôl heno. O heno 'mlaen mi fydd yne drafodeth lawn rhwng yr Undeb a'r meistri am y cyflog, am delere gwaith, am gyflwr 'n tai ni, am addysg i'n plant, am bopeth!"

Brysiodd dyn ato fo drwy'r dyrfa, a thynnu yn ei gôt, a deud rhywbeth yn ei glust o.

"A gwrandwch, frodyr, mae'r neges wedi dod o Bendarren ac o Ddowlais – mae pawb allan ar streic!"

Gweiddi mawr a churo dwylo.

"Ond mae yne rai *blacklegs* yn dal yn Cyfarthfa!" gwaeddodd un o weithwyr Crawshay o gefn y dorf. "Mae'r ffwrneisi'n dal heb eu diffodd, a rhai yn y meline, a rhai yn yr efail; dwi'n gwbod, dwi 'di gweld nhw."

"Dewch, frodyr, ymlaen i Gyfarthfa." Ac i ffwrdd â nhw, yn canu ac yn gweiddi, ond 'des i ddim, roeddwn i wedi cael digon o gynnwrf am un diwrnod. Mi glywes wedyn na ddaru'r *blacklegs* ddim cymyd yn hir i benderfynu dod allan; dipyn bach o siarad, a dipyn bach o fygwth, a dyne nhw'n cerdded allan i gyd.

"Things have been a bit exciting today, Tomi!" Roedd Mary wedi cael y newyddion i gyd, rywsut, ond roedd ganddi un stori nad oeddwn i ddim yn hapus iawn ei chlywed. "They say that the justices have taken fright, and that Crawshay is after sending for the military from Brecon Barracks!"

"The military?"

Roedd hi wedi bod yn afreolus, oedd, a mi roedden ni wedi creu dipyn o ddifrod, ond doedd hynny ddim yn ddigon i fynnu cael y fyddin i mewn. Doedd bosib fod isio'r milwyr ym Merthyr? Roedd Llys y Dyledwyr wedi codi gwrychyn pawb drwy'r dre ers blynyddoedd. Unioni cam oedd gweithredu yn erbyn hwnnw a'i swyddogion. Chwilio am gyfiawnder oedd hynny; doedd dim isio dod â'r fyddin i mewn, mewn difri?

O! oedd! Roedd y stori'n wir.

Gwelwyd baner y gwyliwr yn chwifio ar y creigie uwchben Coed y Cymer, a mi roedd yne dyrfa'n cyfarfod y milwyr wrth Ffynnon Tudful, ac yn rhyfeddu wrth eu gweld nhw. Milwyr o ucheldir yr Alban, y 93rd Highland Regiment fel y cawson ni wbod wedyn, ac yn gwisgo *kilts*. Doedd merched Merthyr 'rioed wedi gweld y fath beth, a mi roedd yne weiddi sylwade digon ffraeth, a chwerthin.

"Wedi codi'n rhy gynnar y bore 'ma; wedi anghofio gwisgo'n iawn!"

"Be 'dach chi'n neud yn 'ch peisie? 'Sgynnoch chi ddim trwsuse?"

"Be 'dach chi'n gadw o dan y sgertie yne?"

"Merched ynte dynion sy gynnon ni fan hyn?"

"Faswn i ddim yn hir cyn cael gwbod, coelia fi!"

"Roedd y gwynt yn chwythu'n oer ar y Banne'r bore 'ma; nath o ddim drwg ichi, gobeithio!"

"Lwc nad oedd hi ddim yn rhewi, ddeuda i!"

Hyn i gyd wrth eu hebrwng nhw fel gosgordd hyd at giatie Gwaith Haearn Cyfarthfa.

Doedden nhw'n cymyd dim sylw o gwbwl ohonon ni, dim o gwbwl, fel tasen nhw ddim yn dallt be oedd y merched yn ddeud, ond fedrech chi ddim peidio sylwi eu bod nhw wedi'u harfogi'n llawn.

Mae'n rhaid eu bod nhw ar ymdaith ers orie mân y bore i ddod o Aberhonddu erbyn naw o'r gloch, a mi fuon yn sefyll yno am awr wedyn cyn i Crawshay ddod i lawr o'r castell i'w cyfarfod nhw. A mi roedd o wedi dod â Mr Bruce a Mr Hill, oedd yn gweithredu fel ustusiaid yn Sir Forgannwg, hefo fo. Mae'n rhaid fod rheini wedi cychwyn yn gynnar iawn hefyd, ne' eu bod nhw wedi aros yng Nghastell Cyfarthfa dros nos. Dros nos? Oedden, siŵr. Roedd Crawshay o ddifri, ac am gael yr awdurdode a'r milwyr hefo fo! Mae'n rhaid eu bod nhw wedi cael andros o fraw neithiwr.

Ymdaith wedyn i lawr at y Castle Inn, a'r osgordd yn tyfu ac yn mynd yn fwy swnllyd bob cam o'r ffordd, ac mewn hwylie da, yn canu ac yn gweiddi. Mae'n rhaid bod yne filoedd lawer erbyn inni gyrredd.

Tra oedd y milwyr, pedwar ugien ohonyn nhw, yn trefnu eu rhengoedd o flaen y Castle, a rhai ohonyn nhw tu fewn i'r Castle ac yn gosod eu hunen wrth y ffenestri, fel eu bod nhw'n medru edrych dros y dorf tu allan, yr oedd Crawshay'n camu 'mlaen i gyfarfod â Mr R. H. Jenkins yr Uchel Siryf, Josiah John Guest, Anthony Hill a rhyw ddau ne' dri arall nad oeddwn i ddim yn eu nabod.

A thra oedd yr uchelwyr yn cyfarch ei gilydd, mi glywes y swyddog yn gorchymyn y milwyr i osod eu bidoge ar y dryllie. O! roedden nhw o ddifri, Huw, yn ddigon reit.

"Dewch rhyngddyn nhw a'r walie, a gwasgwch arnyn nhw; fedran nhw ddim gneud llawer os byddwch chi'n gwasgu arnyn nhw. Gwthiwch nhw at ei gilydd; ia, dyne fo, gwasgwch arnyn nhw." Roedd Lewsyn wedi sylweddoli fod yne beryg, felly!

Roedd tymer y dorf yn wahanol hefyd erbyn hyn, yn dawelach a mwy difrifol. Mi fues i'n trio siarad hefo rhai o'r milwyr, a mi faswn i'n deud nad oedden nhw ddim yn dallt be oeddwn i'n ddeud, er imi roi cynnig arni yn Gymraeg ac yn Saesneg. Ond hyd yn oed os mai Albanwyr oedden nhw ac yn siarad eu hiaith eu hunen, mi ddylen fod â chydymdeimlad hefo ni'r Cymry, yn dylen? Pa iaith bynnag oedden nhw'n siarad, cyd-Geltiaid oedden ni wedi'r cwbwl, yntê?

Roedd Crawshay yn amlwg yn boenus iawn, yn llwyd ei wedd ac yn nerfus ofnadwy, ac yn pwyso ar Jenkins: "Get on with it, man."

A dyne'r Uchel Siryf yn galw am osteg ac yn dechre darllen y proclamasiwn oedd ar y papur yn ei law, yn Saesneg, yn tynnu'n sylw ni at y ffaith fod yne nifer o fwy na deuddeg wedi ymgynnull yn anghyfreithlon, ac y bydde'n rhaid inni wasgaru o fewn yr awr, ar boen o gael 'n cyfri'n ddrwgweithredwyr, a'n cosbi â charchar am oes.

Cyn iddo fo orffen cyhoeddi roedd yne weiddi, "Be mae o'n ddeud?" "Pam na siaradith o Gymraeg?" "Be oedd hynne?" Ond mi glywes i o'n gorffen hefo'r geirie 'God save the King', a dim ond pryd hynny y dalltes i mai darllen y Ddeddf Terfysg oedd o, y Riot Act! Dyne be oedd hyn i gyd, cael y milwyr yma, a'r Uchel Siryf, pob peth wedi cael ei drefnu gan William Crawshay er mwyn codi ofn arnon ni. Dyma be oedd ei ymateb o i ofynion y gweithwyr am well telere! Dangos min y gyllell i ni! Dyne ymateb yr 'Iron King'!

Camodd Guest ymlaen i annerch. Doedd ganddo fo ddim llawer o lais, ac yn amlwg yn ofnus, gan mai herciog iawn oedd o'n siarad, ac yn gofyn inni bwyllo a gwasgaru'n ôl i'n tai – ond chafodd o ddim hwyl arni, a'r dyrfa'n torri ar ei draws yn barhaus. A deud y gwir roeddwn i'n teimlo'i fod o'n ddigon gonest, ac yn dangos cydymdeimlad. Dwi'n meddwl ei fod o'n sylweddoli y galle pethe fynd yn ddrwg tasen i ddim yn gwasgaru o fewn awr y Ddeddf.

Y 'Brenin Haearn' ddaeth wedyn, yn benderfynol ac yn herfeiddiol, yn deud – nid yn gofyn fel Guest, ond yn deud, yn rhoi gorchymyn bron – ei bod hi'n rhaid inni roi'r gore i'n gwylltineb, ac i fynd yn ôl i'n tai. "Send me a deputation in fourteen days time…"

Ond chafodd o ddim gorffen ei frawddeg.

"We know what we want, we can send you a deputation now. Listen to us now, and not in a fortnight's time."

"I think that would be wise, Mr Crawshay." Roeddwn i'n ddigon agos i glywed Jenkins yn siarad. "Let us meet a deputation inside the inn; it will be more quiet and peaceful in there!"

Yna troi at y dyrfa a deud, "Choose your deputation and we, that is Mr Crawshay, Mr Guest, and Mr Hill and myself will listen to your demands in a quiet room in the inn."

Fuon ni ddim yn hir yn dewis. Roeddwn i'n nabod chwech ohonyn nhw: Lewsyn yr Heliwr, William Jones, Dai Llaw Haearn, Thomas Vaughan, Dic Penderyn, David Hughes, a chwech arall nad oeddwn i ddim yn eu nabod. Roeddwn i wedi disgwyl gweld Thomas Llewelyn yno, ond weles i ddim golwg ohono fo ar ôl dod yn ôl o le Fothergill. Roedd pob un yn y dyrfa'n gwbod be oedden ni isio: gwaith cyson, cyflog teg, telere gwaith gwaraidd, dileu'r talebe, addysg i'n plant, dŵr yn y tai. Ond fase'r un ohonon ni'n medru rhoi'n gofynion yn daclus o flaen y meistri. A dwi ddim yn siŵr pwy ddaru siarad dros y ddirprwyeth, ond mae'n debyg mai Lewsyn ddaru. Ganddo fo roedd y ddawn siarad. Ond syniade Dic fydden nhw yn ddigon sicr. Fo oedd y meddyliwr.

Pan ddaethon nhw allan, weles i ddim golwg ar Dic, yr hawsa ohonyn nhw i'w nabod, hefo'i wallt melyn a'i gôt las. Mae'n debyg ei fod o wedi mynd allan drwy'r drws cefn, a doeddwn i'n rhyfeddu dim at hynny; 'doedd pawb yn gwbod fod Mari'n disgwyl babi unrhyw ddiwrnod? Mi fedre Dic fynd yn syth adre'r ffordd honno, heb orfod gwthio drwy'r dorf.

"Sut aeth hi, Lewsyn? Oedden nhw'n gwrando?"

"Roedd Guest yn gwrando; dwn i ddim am y lleill."

A fel yr oedd o'n siarad, dyma Jenkins yr Uchel Siryf allan a chyhoeddi fod yr awr ar ben, ac y dyle'r dorf wasgaru.

"Dyden ni ddim wedi cael ateb eto; mae'n deg inni gael ateb."

"Mae'n rhaid inni gael ateb gynta!"

Ac un llais yn gweiddi, "Mae isio bwyd arnon ni, mae isio bara, a mae isio caws hefo bara!"

A'r dorf yn cydio yn y frawddeg "Caws hefo bara!" ac yn dechre llafarganu, "Caws hefo bara! Caws hefo bara! Caws hefo bara!"

"Drychwch, mae Crawshay'n dod at y ffenest. Hsh!"

"Workers, we need time to investigate your complaints of distress..."

"Faint o amser mae'r dyn isio i edrych i mewn i'r amode byw gwarthus a digalon sy gynnon ni? Fo sy'n gyfrifol amdanyn nhw!" gwaeddodd Lewsyn. "Codwch fi, bois!"

A dyne griw yn ei godi o ar eu sgwydde.

"Gwrandwch, siarad lol mae o, dyne'r cwbwl mae o'n neud. Mae o'n gelwyddog. I be mae o isio archwilio'n hamgylchiade ni? Mae o'n gwbod hen ddigon yn barod am 'n hamode byw ni, yr amode rydan ni'n gorfod eu derbyn er mwyn gweithio iddo fo a'i debyg. Y fo sy wedi gosod yr amode. Mae o wedi deud bod yn rhaid inni dderbyn cwtogi yn 'n cyfloge am fod y fasnach yn wael. Mae o'n disgwyl i ni aberthu er bod 'n bolie ni'n wag. Dwi'n gofyn i chi, be mae *o'n* aberthu? A dwi'n rhoi'r ateb ichi. Dim! Dim oll! 'Run geiniog goch y delyn! 'Dan ni'n slafio, 'dan ni'n llwgu, 'dan ni'n diodde, ond mae'r dynion yne, y byddigions yne, yn byw yng nghanol eu cyfoeth, yn eu tai moethus; dydyn nhw ddim yn cael 'run daten yn llai heddiw nag oedden nhw fis yn ôl!

"Bois, welwch chi'r milwyr yma? Dwn i ddim pa iaith maen nhw'n siarad, ond does ganddyn nhw ddim syniad am 'n hachos ni. Dydi'r rhain ddim wedi cael eu galw yma i gadw cyfreth a threfn. O, na! Maen nhw yma i warchod eiddo'r meistri! Drychwch arno fo yn y ffenest acw, y fo a'i debyg; 'dydyn nhw'n ddewr? A'r milwyr o'u blaene, a milwyr tu ôl iddyn nhw; 'dydyn nhw'n ddewr? Yn gwynebu torf ddiamddiffyn fel ni; 'dydyn nhw'n ddewr?

"Mae'r rhan fwyaf o'r milwyr yma wedi bod yn weithwyr fel ni, neu'n feibion i weithwyr fel ni, a fedrwn ni ddim gadel iddyn nhw ladd eu brodyr mewn gwaed oer yn ôl gorchymyn y meistri, yn na fedrwn? 'Wrach na fedran nhw ddim dallt be dwi'n ddeud; 'wrach na chân' nhw ddim defnyddio'u rheswm eu hunen, ond mi wn i hyn, mae'n rhaid inni gymyd eu harfe nhw, rhag iddyn nhw eu troi nhw arnon ni! Tra bod gyna i anadl yn y corff yma, dwi'n mynd i ymladd drosta fy hun, a thros 'y mrodyr. A dydi o ddim o bwys gen i i fod y cynta i neud. Cymrwch eu harfe nhw, bois!" A neidiodd i lawr, cydio yn nryll y milwr cynta, a'i rwygo fo o'i ddwylo.

Roedden ni ar dân ac yn gweiddi'n cefnogeth, a dwi'n gwbod 'mod i wedi lluchio 'nghap i'r awyr, 'run fath â llawer arall, a na ches i mono fo'n ôl!

A dyma ruthro ar y milwyr a thrio cael eu harfe nhw, a mi aeth yn sgarmes ofnadwy, ond fedre'r milwyr neud dim byd llawer am 'n bod ni wedi gwasgu arnyn nhw mor dynn. Roedd yne rai ohonon ni hefo ceibie a phastyne, ac yn cymyd mantais ac yn dyrnu'r milwyr a'u swyddogion, a mi weles i dri ne' bedwar ar lawr, a gwaed yn rhedeg ar eu penne nhw, a'r lleill yn gneud 'u gore i wasgu i mewn i'r Castle.

A rhywsut neu'i gilydd yng nghanol y sgarmes, mi ges i fidog yn 'y nghoes nes oedd y gwaed yn pistyllio. Mi ges 'y mwrw i'r llawr, a thrwy fyd mawr mi fedres lusgo fy hun i gysgod y wal, ac yn y fan honno y bues i'n trio rhoi rhwymyn i atal y gwaedu.

A thra oeddwn i wrthi'n gneud hynny, mi edryches i fyny a gweld bod Crawshay yn y ffenest, a roedd o'n gweiddi rhywbeth ar y swyddog. Yr eiliad honno dyne'r saethu'n dechre. Y milwyr oedd wrth y ffenestri yn y Castle yn tanio, ac yna'n camu'n ôl a rhai eraill yn dod i danio yn eu lle, a hynny'n ddi-baid. Saethu dynion diamddiffyn oedd yno i ofyn am eu hawlie, dyne'r cwbwl.

Dwn i ddim am ba hyd y parodd yr ymladd. Mi faswn i'n deud am orie. Ond mae'n siŵr mai rhyw chwarter awr, ddim llawer mwy. Mi fedres roi cadach ar 'y nghoes, ac yne cymyd arna 'mod i wedi marw. Ddim cynt nad oedd milwyr yn cyrredd y Castle nad oedden nhw'n troi'n ôl ac yn tanio ar y dorf. Tanio'n ddi-baid, a thanio heb orfod anelu; roedden ni wedi hel at 'n gilydd mor dynn fel nad oedd yne ddim lle i ddianc. A'r sŵn, y gweiddi a'r sgrechian, sŵn y gynne'n tanio, gweld y fflachiade, gweld y mwg, a chlywed ei hogle fo. Mi weles rai yn cael eu lladd er bod 'u dwylo nhw yn yr awyr yn dangos eu bod nhw'n ildio. Ac ugeinie'n cael eu hanafu. Y peth cynta welet ti oedd fel tase rhywbeth yn plycio mewn defnydd côt neu drwsus, a'r peth nesa mi welet y gwaed yn llifo, a golwg o syndod yn dod ar y

81

gwynebe. Roedd yne gyrff yn gorwedd ymhob man blith draphlith, yn ddynion, a rhai merched hefyd, ac yn filwyr. Roedd yno rai yn gweiddi, a sgrechian, a chrio, a griddfan, ond roedd yno rai yn hollol lonydd, ac yn gorwedd yn hollol dawel. Roedd hi fel golygfa o uffern yno.

Mi fedra i'u gweld nhw rŵan, Huw. Roedd yne un yn gorwedd o 'mlaen i, twll bach crwn yn ei dalcen o, dim cefn i'w ben o, a golwg o syndod ar ei wyneb o. A mi roedd yne wraig yn gwnïo yn ffenest y tŷ, ac yn edrych ar y sgarmes; dwi ddim yn meddwl ei bod hi wedi sylweddoli be oedd yn mynd ymlaen, a mi saethwyd hi'n gelain. Ac un dyn yn rhedeg heibio i mi ac i lawr am Ynys-gau, yn gweiddi mewn braw a bidog yn ei gefn o.

Roedd Lewsyn fel rhyw gadfridog yn gweiddi ar ei ddynion i sefyll ac ymladd, i ddefnyddio'r dryllie oedden nhw wedi eu dwyn, a saethu'n ôl ar y milwyr. A rhai yn gneud, y rhai hynny oedd yn gyfarwydd ag arfe, am wn i. Ond roedden nhw'n gorfod anelu'n ofalus, rhag saethu rhai ohonon ni; yn gorfod anelu at y ffenestri, ac at ddrws y Castle Inn. Doedd yne ddim golwg o Crawshay na Jenkins na Hill erbyn hyn, na'r cwnstabliaid; roedd rheini'n ddigon saff ymhell oddi wrth y ffenestri. Roedd Lewsyn ymhob man yn annog ei ddynion, ond y gwir oedd fod y frwydr drosodd o'r amser y taniwyd y dryll cynta, a mi roedd o'n gwbod hynny hefyd. Gwasgaru ddaru'r bobol. Un funud roedden nhw yno, a'r funud nesa roedden nhw'n llifo oddi yno, a mi aeth pethe'n dawel fel y bedd.

Ond toc, yn ara bach, roedd yne ferched yn dod yn ôl i'r stryd o flaen y Castle, yn chwilio am eu hanwyliaid, ac yn eu helpu oddi yno, neu'n taenu llieiniau dros eu gwynebe nhw. Ac yn crio; rhai yn sefyll yn dawel a dagre'n llifo i lawr eu gwynebe nhw, rhai yn sgrechian ac yn rhwygo'u gwalltie. Roedd y milwyr yn edrych ymysg y cyrff am eu cyfeillion ac yn eu cario'n ôl i'r Castle; a mi roedd rhai o'r rheini wedi diodde'n ofnadwy. Mae coes caib yn erfyn ofnadwy yn nwylo dyn sy wedi diodde tlodi a newyn am flynydde.

Trefnu trolie i gario'r cleifion ddaru'r milwyr, a chilio allan o'r dre, y nhw a Crawshay a'i griw, i fyny i Pendarren House. Roedd ganddyn nhw ofn mynd cyn belled â Chastell Cyfarthfa, am wn i. Roedd y modd roedden nhw'n cilio gryn dipyn yn wahanol i'r ymdeithio rhodresgar a fu ryw deirawr ynghynt. Ia, mynd ddaru nhw, a gadel y dre i'w galar.

"Let me give you a hand, Tomi." Mary O'Rourke, yn rhoi help i mi godi a cherdded yn ôl yn ara i Ynys-gau.

"That was a fearful battle, Tomi."

Doedd gen i ddim byd i'w ddeud.

Dwi ddim yn credu y bydd neb byth yn gwbod yn union faint o bobol laddwyd, na faint o bobol ddaru farw wedyn, ar ôl y frwydr o flaen y Castle Inn. Doedd yne neb yn mynd i gyfadde i'r awdurdode, yn nag oedd? Roedd yne bob math o straeon am rai wedi cael eu saethu ac yn marw o'u hanafiade, a'r teuluoedd yn eu claddu nhw yn y gerddi, ac allan yn y caeau o dan y gwrychoedd. O! mae'n siŵr fod yne yn tynnu am ugien. A fydd neb yn gwbod faint o bobol gafodd eu hanafu, chwaith, ond mi fydde yno ugeinie lawer, yn siŵr.

Mae'n debyg gen i fod yne gyfri mwy manwl o anafiade'r milwyr. Dwi ddim yn meddwl fod yne'r un wedi'i ladd. Ond roedd yne ddwsine wedi ei chael hi hefo pastwn, ne' goes caib, a mi weles rai wedi cael anafiade hefo bidoge hefyd. Gan 'y mod i wedi bod yn gorwedd yng nghysgod y wal heb fod ymhell o ddrws y Castle, mi ges i gyfle i sylwi ar y milwyr, a mi roedd yne olwg mawr ar rai ohonyn nhw. Mi alle Lewsyn fod yn ddigon balch o'i 'filwyr' o; doedd milwyr y brenin ddim wedi cael eu ffordd eu hunen yn gyfan gwbwl – roedd 'n hymladdwyr ninne wedi gadel eu hôl!

Ond y gost, Huw bach, y gost!

Doedd 'y nghoes i ddim yn gwaedu erbyn cyrredd y tŷ, ond doedd y clwy ddim yn edrych yn lân iawn chwaith.

"We'll have to open that up, lovely boy, won't we?" Roedd hi'n hollol iawn, wrth gwrs, ond fedrwn i ddim diodde gweld y gwaed, na diodde teimlo'i bys hi yn y briw. Pan ddois i ata fy hun, roedd hi wedi golchi'r briw mewn finegr, wedi rhoi eli briwie, ac wedi ei rwymo fo'n daclus. Fues i 'rioed yn un da hefo anafiade, fachgen; llewygu fyddwn i bob tro.

Roedd yne lawer iawn yn galw am eli briwie, eli dolurie, ac eli clwyf y noson honno a doedd hi ddim yn hir nad oedd hynny oedd gen i wedi'i ddihysbyddu. Mi fydde Martha'n gwaredu!

Fore trannoeth, bore dy' Sadwrn, y gweithwyr oedd pia Merthyr. Doedd yne'r un milwr na meistr ar gyfyl y lle.

Cnoc ar y drws. "Mae Dic dy isio di, Tomi. Mae o a Lewsyn a chriw wedi mynd i fyny i'r ceunant uwchben Coed y Cymer. 'Dan ni wedi clywed fod Crawshay wedi gyrru i Aberhonddu a gofyn iddyn nhw yrru chwaneg eto o filwyr, a 'dan ni am 'u rhwystro nhw."

Roedd 'y nghoes i wedi stiffio yn ystod y nos, ond yn stwytho dipyn wrth gerdded, ac erbyn cyrredd Coed y Cymer roeddwn i'n mynd yn o lew. Lewsyn oedd wedi cael y syniad o gau'r ffordd o Aberhonddu, i rwystro'r milwyr. A phan gyrhaeddes i roedd yne ddynion fel morgrug ar y creigie uwchben y ceunant, y ddwy ochor, ac yn symud cerrig mawr hefo trosolion ac yn eu bowlio nhw i lawr i'r ffordd ym mhen ucha'r ceunant. Doeddwn i ddim llawer o ddefnydd; a deud y gwir, fedrwn i ddim dringo'n rhyw rwydd iawn, ac yn rhy boenus i feddwl am symud creigie.

"Maen nhw'n dod!" gwaeddodd y gwyliwr.

"Pawb i guddio, a pheidiwch â symud 'run garreg nes y bydda i'n gneud arwydd!" gwaeddodd Lewsyn. "Ond pan fydda i'n codi'r faner, lluchiwch hynny fedrwch chi o gerrig i lawr, a gwaeddwch nerth 'ch penne!"

Disgwyl wedyn mewn distawrwydd, a gweld y milwyr yn dod yn nes. A fel yr oedden nhw'n troi'r gornel ac yn gweld y ffordd drwy'r ceunant a'r cerrig mawr, dyma faner Lewsyn yn codi ac yn chwifio. A ninne'r dynion yn rhoi bonllef fawr, ac yn taflu cerrig, ac yn codi meini mawr a'r rheini'n bowlio ac yn neidio ac yn adlamu i lawr i'r ceunant. Doedd dim rhaid iti fod yn filwr i ddeud nad oedd yne ddim ffordd trwodd, a phan drodd y fintai yn eu hole mi ddaeth yne floedd fawr o fuddugolieth! Ond roedd y gwyliwr yn gweiddi eto ac yn pwyntio yn ôl am Merthyr.

"Mae yne gwmni o wŷr-meirch yn dod!"

"Mae'n rhaid fod y rhain yn dod i gyfarfod y milwyr fel gosgordd," medde Lewsyn.

Ac yna gwaeddodd, "Gadewch iddyn nhw ddod i mewn i'r ceunant; fedran nhw ddim mynd trwodd, a mi wnawn ni'r un peth eto. Cuddiwch, a phan goda i'r faner bowliwch y cerrig i'w canol nhw."

Yna mi drodd a deud wrthon ni, "Mi fydd y ceffyle'n dychryn a mi gawn ni dipyn o sbort wrth weld y cyfrwyon yn gwacáu." Ond un felly oedd Lewsyn, yn cael syniad sydyn heb feddwl be

84

fydde'r canlyniade. I un oedd wedi gweithio hefo ceffyle ar hyd ei oes, peth od na fydde fo wedi meddwl y galle rhai o'r ceffyle gael eu brifo. Torrwyd coes un o'r ceffyle hefo un o'r creigie cynta, a hwnnw'n gweryru mewn poen ac ofn; mi weles ar wyneb Lewsyn ei fod o'n edifar.

"Peidiwch!" gwaeddodd. "Dyne ddigon; maen nhw wedi cael eu gwers." A mi deimlodd wedyn hefyd, dwi'n gwbod, wrth edrych i lawr ar y gwŷr-meirch yn gorfod saethu tri cheffyl wedi'u hanafu.

Gan fod y goes yn dechre poeni gryn dipyn erbyn hyn, ei throi hi'n ara deg am Ynys-gau wnes i. Wedyn y clywes i fod Dic wedi mynd â rhyw ddeugain o ddynion at Glwyd y Fagwyr ac wedi amgylchynu gwŷr-meirch o Abertawe, wedi cymyd eu harfe nhw i gyd ac wedi eu cychwyn nhw yn ôl am Abertawe, wedi torri'u crib yn arw.

'N harweinwyr ni – Dic Penderyn, Lewsyn yr Heliwr, Dai Llaw Haearn a'r lleill oedd yn rheoli tre Merthyr y diwrnod hwnnw, a rhan helaeth o'r tir o amgylch.

Yn ystod hyn i gyd roedd Guest wedi cael gafel ar ryw ddeuddeg o weithiwyr dipyn bach mwy diniwed, dipyn bach llai afreolus na'r gweddill ohonon ni, ac wedi eu cael nhw i fynd i gwarfod y meistri yn Pendarren House. Ac yno, yn y fan honno roedd Crawshay wedi gneud popeth fedre fo – cynnig cil-dwrn, ymbil arnyn nhw i fynd yn ôl, a'u bygwth – er mwyn trio cael y dynion i dorri'r streic, ond yn ofer. Roedd hyd yn oed rheini am sefyll yn gadarn; roedd arnyn nhw fwy o ofn Lewsyn na Crawshay, falle.

Roedd yne filoedd yn llenwi'r ffordd wrth ddod yn ôl i Gyfarthfa, a mi roedd yne negeseuon wedi'u gyrru i Hirwaun ac Aberdâr, yn deud hanes brwydr Coed y Cymer.

Ond pan glywodd Lewsyn be oedd Guest a Crawshay wedi'i neud, mi aeth yn gynddeiriog. "Mi awn yn 'n blaene i Pendarren House i gael gair hefo Crawshay a Guest," medde fo. "Trafod cynigion maen nhw i fod i neud, nid cynllwynio a thrio troi'r gwan yn 'yn herbyn ni. Mi awn ni i ddangos iddyn nhw 'yn bod ni'n sefyll, ac yn sefyll yn gadarn!"

A felly y bu. Ac wrth gwrs erbyn hyn roedd ganddon ni arfe; rhai wedi eu dwyn oddi ar yr Highlanders a rhai gan wŷr-meirch

Abertawe, ac ambell i hen ddryll yn cael gweld gole dydd am y tro cynta ers blynyddoedd, a'r ceibie a'r pastyne. Yn fyddin gre. A phob peth yn mynd o'n plaid ni. A'r meistri yn Pendarren House mewn ofn a dychryn wrth weld yr ymdeithio'n ôl a blaen.

Roedd hi wedi dod i'r pen arna i, ond mi ges i help gan 'n rhofiwr i, Dai Ffrwd Isa, i ymlwybro i lawr i Ynys-gau. Nos Sadwrn oedd hynny, a symudes i ddim oddi yno drwy'r dydd ddydd Sul, chwaith. Ond tawel fuodd hi beth bynnag; yr unig beth o bwys oedd fod y gwŷr-meirch a ddaliwyd yng Nghoed y Cymer wedi medru gneud eu ffordd i Pendarren House. Ond roedd yne gyfarfod mawr i fod ar Fynydd y Waun ar y dydd Llun, a mi roeddwn i'n benderfynol o fynd i hwnnw, os medrwn i sut yn y byd. Y cyfarfod mwya eto: gweithwyr Merthyr, Aberdâr a Hirwaun, a choliars o Aberhonddu, Sir Fynwy a Sir Forgannwg.

Roedd yne ddisgwyl miloedd ar filoedd ar filoedd, falle ugien mil, a mi fydde hynny'n dangos i'r meistri'n bod ni'n unfryd unfarn. Dyne fydde undeb! Ugien mil o aelode!

"You're not fit to go walking all that way, Tomi. Listen to me and stay here."

"No, Mary, I'll go if it kills me!"

"If you go, it may well kill you, but I suppose that go you will; you're an obstinate man."

A'r diwedd fu imi gerdded yn ara deg i fyny am y mynydd hefo Dai Ffrwd Isa a Mary, un o bobtu. Roedd y goes yn llawer iawn mwy poenus nag oeddwn i am gyfadde, a mi roedd hi'n hwyr arnon ni'n cyrredd. Mae'n rhaid fod yne lawer iawn o siarad a thrafod wedi bod cyn ein bod ni ar gyfyl y lle. Weles i 'rioed dyrfa mor fawr; roedd yne fôr o wynebe. Dwn i ddim faint o dyrfa ydi ugien mil, ond mi faswn i'n ddigon bodlon credu fod yne gymint â hynny ar ben y mynydd.

Ond o flaen y dorf yn eu rhengoedd roedd yne gannoedd o filwyr, a gwŷr-meirch, a'r milisia. Ac o flaen rheini mi nabyddes i Guest a Crawshay, a'r Uchel Siryf. Mae'n rhaid bod yne gynllwynio wedi bod eto, cyn bod rheini'n gwbod am y cyfarfod, ac wedi medru cael y fyddin yma at ei gilydd.

Roedd Guest wrthi'n siarad. Fedrwn i ddim clywed ond rhyw air rŵan ac yn y man, ond mi ddalltes iddo fo ofyn i'r dorf droi'n ôl, na fydde gwrthdaro ddim ond yn arwain i gyflafan.

Yn amlwg roedd yne ddadle mawr rhwng y meistri a'n harweinyddion ni, er na fedrwn i ddim bod yn siŵr pwy oedd yno. Ond doedd y dorf ddim am symud, pawb yn dal ei dir, ac yn dawel, yn fygythiol dawel.

Yr Uchel Siryf Jenkins yn siarad wedyn, ond doedd dim posib dallt gair o'r hyn oedd o'n ei ddeud. A beth bynnag, doedd o'n cael dim effaith ar y dyrfa enfawr. Sefyll yn gadarn oedd pawb.

Y peth nesa weles i oedd ei fod o'n tynnu papur allan ac yn darllen oddi ar hwnnw. Y Ddeddf Terfysg! Eto! I be oedd isio darllen honno? Doedd yne ddim terfysg yno; doedd yne ddim byd yn anghyfreithlon mewn cynnal cyfarfod yn yr awyr agored. Crawshay oedd y tu ôl i hyn, doedd yne ddim lle i ame; roedd o'n fodlon defnyddio pob cynllwyn.

Ond eto doedd yne ddim symud ar y dorf. Pawb yn sefyll yn llonydd dawel.

Medrwn i weld yr Uchel Siryf a swyddogion y milwyr yn cael trafodeth, ac yna clywes y swyddog yn gweiddi ar ei filwyr i godi eu dryllie.

"Prepare to fire!"

Sut y medri di wynebu dryll yn nwylo milwr, a dim byd yn dy fol, Huw? Wedi bod ar streic am bron i wythnos, wedi gweld y lladd a'r anafu a fu y dydd Gwener cynt, pa galon sy gen ti i wynebu dryll? Ac yn ara gwasgaru fu'r hanes. Yr holl filoedd o weithwyr gonest, oedd mor fodlon i weithio petaen nhw'n cael cyflog teg, oedd mor falch ac yn dal eu penne'n uchel hanner awr ynghynt, yn troi ar eu sodle'n bendrist, ac yn llusgo'u traed yn anfoddog tuag adre.

Roedd y streic ar ben; doedd yne ddim amheueth am hynny.

Be ddeudodd William Jones – fydd yne ddim newyn ym Merthyr ar ôl heno!' Dyne ddeudodd o, a be oedd o'n ei feddwl rŵan? Mi fydd Crawshay'n gwasgu'n gletach arnon ni nag erioed.

Sut aeth pethe gymint ar chwâl? Dwi'n gofyn iti, Huw, sut aethon nhw ar chwâl? A Twiss wedi siarsio inni adel i'r arweinwyr ddelio hefo'r meistri, a pheidio cymyd pethe i'n dwylo'n hunen. Ond dyne wnaethon ni – cychwyn y drwg oedd Thomas Llewelyn yn 'n harwain ni dros y mynydd i dŷ Fothergill. Nage, aros di funud, cychwyn y drwg oedd y si fod Fothergill yn talu coron yn llai i'w ddynion na Crawshay. Wyst ti, mae yne rywbeth yn drewi yn yr holl beth.

Dwi'n dechre gweld llaw Crawshay tu ôl i bob symudiad! Be os mai cynllwyn oedd y si? Be os oedd Thomas Llewelyn yn cael cil-dwrn gan Crawshay? Mi ddaru Fothergill roi i mewn mor rhwydd – be os mai rhoi buddugolieth fach rwydd i ni oedd y bwriad, er mwyn cael trefnu dod â Jenkins a'i Ddeddf Terfysg, a dod â'r milwyr i mewn? Chware i'w dwylo nhw fydde llosgi tai Coffin a'r rheine wedyn.

A ble mae Thomas Llewelyn? Does yne neb wedi'i weld o ar ôl pnawn dydd Iau. Pam? Mi siarsiodd Twiss mai'r un bobol, ia, Crawshay a'i griw, oedd wedi gyrru Aaron Williams a Samuel Hill i'w crogi. Dydi o ddim o bwys ganddo fo, Crawshay, be neith o, cyn belled â'i fod o'n medru dal i neud arian. Does yne'r un cynllwyn rhy fudur, rhy isel ganddo fo. Nid ar chware bach mae o'n cael yr enw 'The Iron King', brenin ym myd haearn, ond brenin wedi ei neud o haearn hefyd.

Roedd hi wedi dod i'r pen arna i, pethe'n dechre troi o 'nghwmpas i, a dwn i ddim sut ddaru Mary a Dai lwyddo i 'nghael i lawr oddi ar y mynydd, ond y peth nesa wyddwn i oedd 'mod i'n chwysu'n ofnadwy ac yn cael hunllef ar ôl hunllef, a 'mod i'n gorwedd mewn gwely. Ond nid 'y ngwely i oedd o. A mi roedd hi'n tywyllu.

"Awake?" Mary'n gofyn. "Feeling better?"

"Yes, I think so. Where am I, Mary?"

"You're in my bed, and I'll be joining you in a minute; that's how it's been and you shaking with fever for the past four days, and I'll not be moving you out now!"

A mi ges i'r hanes ganddi. Fel roedd y milwyr a'r cwnstabliaid wedi chwilio 'mhob man am arweinwyr y terfysg – ia, dyne oedd o'n cael ei alw rŵan. Y Terfysg. Y *Riot*. Fel yr oedden nhw wedi llusgo rhai allan o'u tai, rhai allan o'u gwlâu, ac wedi dal dros ddwsin ar y nos Lun. Fel yr oedden nhw wedi chwilio'i thŷ hi, a'i bod hi wedi rhwymo siôl am 'y mhen i, ac wedi deud wrthyn nhw mai ei chnither hi oeddwn i, mewn twymyn.

"I'd brought a few of your beautiful yellow curls out from under the shawl, and you being such a handsome boy, they never thought to question it."

"What night is this then, Mary?"

"It's Thursday night, and you've been delirious since we got you to bed on Monday afternoon. It's your leg, it's been running with the pus, but it's a lot better now!" Roedd hi wedi bod yn trin y briw ar 'y nghoes i dair gwaith y dydd hefo dŵr a halen, wedi agor y briw a chael bod yne ddarn o ddefnydd y trwsus ynddo. "Go to sleep now, you'll feel a lot better in the morning."

Mi ddeffres yn gorwedd ochor yn ochor hefo Mary, ac yn wir roeddwn i'n dechre teimlo mwy fel mi fy hun.

"No need to ask if you're feeling better. And cheeky with it, too. Now don't be getting too excited, Tomi. Don't be tiring yourself, my lovely boy!"

Doeddwn i'n cofio dim amdanat ti, Huw; paid â chymyd dim sylw o be dwi'n ddeud.

Yn ystod y bore mi ddaeth Dai i 'ngweld i.

"Rŵan 'te, Dai, ma' gen i isio'r hanes i gyd. Mae Mary'n deud 'y mod i wedi bod yn sâl am bedwar diwrnod, a dwi'n gwbod dim byd, ond bod Mary wedi deud eu bod nhw wedi dal tua deuddeg o'r arweinwyr. I ddechre, be di hanes Dic?" Er nad oedden ni wedi bod yn rhy agos am flwyddyn, roedd gen i dipyn o feddwl ohono fo; dwyt ti ddim yn troi dy gefn ar ffrindie ar chware bach.

"Wel, ia, mi ddaru'r awdurdode a'r milwyr chwilio pob man, a dal tua phymtheg o'r arweinwyr y noson gynta – ia, nos Lun fydde hynny. Erbyn bore dydd Mawrth roedd y streic drosodd a phawb yn mynd yn ôl i weithio ar yr hen delere. Pawb yn ddigalon iawn. Ond ddaru nhw ddim dal Lewsyn na Dic tan y nos Fercher.

"Ac erbyn hyn mae Dic a Lewsyn yn y jêl yng Nghaerdydd – a'r arweinwyr i gyd: Dai Llaw Haearn, Thomas Vaughan, William Jones a Dai Solomon a rheine i gyd; pawb wedi cael eu martsio i lawr i'r carchar yng Nghaerdydd, pawb mewn gefynne. Ond mae yne bob math o stori am sut y daru nhw ddal Dic. Mae yne un stori ei fod o wedi dod yn ôl i'r tŷ yn Ynys-gau i weld Mari a'r babi, a'u bod nhw wedi ei ddal o yn y fan honno, yn y tŷ. Stori arall ydi fod yne ddau *blackleg* wedi ei ddilyn o ar y mynydd yn y nos, a'u bod nhw wedi ei ddal o ar ôl andros o ffeit ac wedi mynd â fo i dafarn y Lamb nes bydde rhywun yn dod i'w nôl o. Does yne neb yn credu'r stori yne; mae Dic mor gry, a sut medren nhw ei ddilyn o yn y nos a'i ddal o? Beth bynnag, yn y Lamb yr oedd Dic, a mi aeth Crawshay hefo milwyr i'w nôl o oddi yno am dri o'r gloch y bore. Mae pawb yn credu fod Dic wedi cael ei ddal yn y tŷ, a'u bod nhw wedi mynd â fo i'r Lamb wedyn, dim ond er mwyn i Crawshay gael y pleser o'i gerdded o'n ôl hefo gefynne ar ei arddyrne, fel gwers i bawb. A maen nhw'n deud fod Crawshay wedi mynd â'r gefynne hefo fo – rhai y cawsai nhw wedi eu gneud yn arbennig o haearn Cyfarthfa."

Mi greda i. Be oedd isio i Crawshay fod yno o gwbwl hefo'r milwyr? A sut oedden nhw'n gwbod ei fod o ar gael i fynd hefo nhw am dri yn y bore? Na, roedd Crawshay isio dial, a dyne'r sarhad mwya – y gefynne wedi'u gneud yng Nghyfarthfa, a Dic ei hun yn debyg o fod wedi codi peth o'r glo i neud yr haearn.

"Sut nad wyt ti ddim yn gweithio, Dai?"

"Mae Crawshay wedi gneud mwy yn ddi-waith, a dim ond rhofiwr oeddwn i. A thithe yn dy wely fan hyn, doedd yne ddim gwaith i mi beth bynnag!"

"Dwi ddim yn meddwl y bydda i'n mynd yn ôl yne chwaith, Dai. Dwi wedi troi o gwmpas gymint hefo Dic a Lewsyn a'r rheine, 'wrach mai yn y jêl y byddwn inne hefyd. Na, mi a' i i chwilio am waith ar ffarm yn rhywle am dipyn, nes y byddan nhw wedi cael cyfle i anghofio pwy 'di pwy. Cyn gynted â bod y goes yma'n ddigon da, mi fydda i'n mynd."

A felly y bu. Mi dreulies ddeuddydd arall yn Ynys-gau yn cryfhau.

"Mary, I've made my mind up to leave Merthyr tonight. I'll try to find work on a farm somewhere not too far from Cardiff until Dic and Lewsyn are brought to trial. And after that I'll decide what to do, but I don't think I'll ever work in Merthyr again."

Doedd hi ddim yn anodd cael gwaith ar ffarm, gan fod gweithwyr ffarm wedi cael eu denu yn eu miloedd i'r gweithfeydd glo a haearn. Roedd hi'n ganol Mehefin, gweithwyr ffarm yn brin a hithe bron yn amser c'naea, a mi gefes waith yn Llanedeyrn, yn ddigon agos i Gaerdydd i ddilyn hanes achos 'Terfysgwyr Merthyr', fel yr oedden nhw'n cael eu galw, ac yn ddigon pell o Ferthyr fel nad oedd yne ddim llawer o beryg i neb 'y nabod i. Ond rhyw ddilyn o bell oeddwn i hefyd. Doedd gen i neb y medrwn i drafod hefo fo, ond roeddwn i'n gweithio yn yr awyr agored, ac yn cael digon o fwyd, a mi ddaeth canol Gorffennaf a diwrnod yr achos, heb i mi sylweddoli bron...

# Pennod 6

"Dwi'n siŵr ei fod o'n llawer iawn gwell, Doctor Harri; mae o'n symud llawer mwy yn y gwely. Weithie mi fydd ar ei ochor chwith, weithie ar ei gefn a weithie ar ei ochor dde. A mae gyno fo'r hen arferiad bach od yne o dynnu ei law dros ei wyneb a'i drwyn, a hanner gwenu, a dwi 'di' weld o'n gneud hynny hefyd. O, dwi'n siŵr na fydd hi ddim yn hir na fydd o'n deffro ac yn siarad."

"Dw inne'n meddwl fod y *concussion* yn 'sgafnu, a'ch bod chi yn llygad 'ch lle, Gwenno."

"Dwi 'di gneud cacen heddiw, y tro cynta imi feddwl am neud ers tridie. Gymwch chi damed ohoni, a phaned o de, doctor?"

Ddaru Gwenno ddim sôn am Johnny. Roedd hi'n teimlo nad oedd Doctor Harri'n fodlon ei bod hi wedi gwrando ar yr hen Shawnee o'r cychwyn, ond erbyn hyn roedd hi'n berffaith siŵr y byddai'i thad yn deffro ymhen diwrnod arall. Ac mi roedd hyd yn oed Huw wedi deud yn ddigon llawen y bore hwnnw, y byddai "Taid yn well fory," ac mae'n rhaid mai gan Johnny yr oedd o wedi cael hynny. Roedd yna hen gyfeillgarwch ac ymddiried wedi bod rhwng ei thad a Johnny dros y blynyddoedd, yn rhannu diddordeb a chyfrinach. Oedd, roedd hi'n ddigon hapus ar gyflwr ei thad.

* * *

"Fyddech chi'n fodlon imi gael deuddydd yn rhydd, meistar, fory a dydd Sadwrn?"

Roeddwn i'n cael edrych ar bapur newyddion y *Cambrian* bob wythnos gan Edward Rees, ac wedi gweld fod achos Dic a Lewsyn a'r lleill i'w wrando drennydd, a mi roeddwn i am fod yno os medrwn i.

"Wel, cei am wn i, dydi hi ddim yn rhy brysur arnon ni. Lle wyt ti am fynd, os ca i fod mor hy â gofyn?"

"Awydd mynd i Gaerdydd, meistar."

"Isio mynd i wrando achos Terfysgwyr Merthyr wyt ti, Tomi?"

"Ia, os gwelwch chi'n dda i roi caniatâd imi."

"Roeddwn i'n hanner disgwyl iti ofyn, a deud y gwir. Roeddwn i wedi rhoi dau a dau hefo'i gilydd. Mi gyrhaeddest ti yma ryw wythnos fwy ne' lai ar ôl y terfysgoedd. Roeddet ti wedi cael anaf i dy goes, a roedd yne greithie glas ar dy ddwylo di; mi ddaru mi ame o'r dechre mai o'r gwaith glo ym Merthyr oeddet ti'n dod. Does neb yn cael creithie glas fel yne, ond mewn pwll glo. A mi roeddet ti'n siarad yn o wahanol i ni. Acen ddiarth iawn. Y Gogledd, ddwedwn i. Ond doeddwn i ddim am dy holi di. Doeddet tithe'n amlwg ddim isio deud dim. Yn cadw dy hun i ti dy hun. Ac yn y mis dwytha 'ma, dwyt ti ddim wedi bod oddi yma'r un noson.

"Ydi, mae'n iawn, Tomi, cymer y deuddydd, ond tyrd yn dy ôl, da ti. Dwi ddim wedi cael cystal gweithiwr ers blynyddoedd."

Roedd mis o weithio ar ffarm Edward Rees, ac ynte'n ŵr clên, tawel, hamddenol, a finne'n cael bod allan yn yr awyr agored, ar fwyd iach, heb ddim cwrw, wedi gneud y byd o les imi. A mi roedd mis o ymbellhau o ofidie Merthyr, falle, wedi gneud mwy fyth o les imi.

Mae'n beth od, wysti, Huw, er 'mod i'n gwbod yn iawn fod Dic, Lewsyn, Dai a'r criw yn y carchar yng Nghaerdydd, ac yn disgwyl clywed be fydd 'u tynged nhw, mi roeddwn i fel petaswn i wedi bod yn byw mewn rhyw fyd arall yn gyfan gwbwl am y mis dwytha; yn medru edrych ar ddigwyddiade diwedd Mai a dechre Mehefin o bellter maith.

Wedi clywed mai'r Barnwr Bosanquet oedd i wrando'r dystioleth yn y frawdlys, doedd gen i ddim llawer o ffydd y bydde 'ne degwch ar gael – roedd o'n perthyn drwy briodas i un o'r meistri haearn, medden nhw, a mi roedd gyno fo enw o fod yn un caled iawn. Mi gaem weld be oedd cyfiawnder y Saeson – os oedd yne'r fath beth yn bod!

Roeddwn i wedi cychwyn cyn toriad gwawr, er mwyn cael lle y tu mewn i'r frawdlys os medrwn i.

O'r wyth ar hugien oedd wedi cael 'u dal, mi ollyngwyd dau ar hugien yn rhydd, wedi rhoi rhybudd difrifol iddyn nhw. Doedd gynyn nhw – yr awdurdode – ddim diddordeb yn y rheini o'r dechre, dim ond gneud rhyw esiampl ohonyn nhw, am wn i, i godi ofn ar y gweddill ohonon ni. Ond roedd y cyhuddiad yn erbyn Thomas Vaughan, William Jones, Dai Llaw Haearn a David Hughes, yn llawer iawn mwy difrifol. Roedd y rhain wedi bod yn amlwg iawn yn yr helyntion; rhain oedd rhai o'r arweinwyr, a mi fydde'n rhaid dysgu gwers iddyn nhw. Fe'u cyhuddwyd o fynd i mewn i dŷ Thomas Lewis y benthycwr arian, a hynny'n anghyfreithlon, a dinistrio eiddo. Roedd hi wedi tawelu yn y frawdlys erbyn hyn, i glywed tystioleth Thomas Lewis, y benthycwr arian ei hun, ac wedyn i wrando'r cwnstabliaid. Ddaru Thomas Lewis ddim egluro, wrth gwrs, pam yr oedd yne dorf y tu allan i'w dŷ o, na be oedd tu cefn i'r ffaith fod y bobol wedi codi o dan orthrwm y meistri. Ond wedi clywed ei dystioleth o, a thystioleth y gweddill o'r erlynwyr, mi roedd hi'n amlwg mai euog fydde'r dyfarniad.

Ond y ddefryd! "Transportation to Van Diemen's Land for life!" Fedren ni ddim credu. Am oes? I ben draw'r byd am eu hoes? Doedd neb yn gwadu eu bod nhw wedi torri i fewn i dŷ Thomas Lewis, ond pam nad oedd Bosanquet wedi ystyried be oedd tu cefn i hynny? Dynion wedi cyrredd pen eu tennyn oedden nhw, yn methu cael dau ben llinyn ynghyd, yn gweld eu gwragedd a'u plant yn llwgu, yn gweld tre gyfan yn diodde. Dyne pam! Doedd hynny ddim yn haeddu'r fath ddedfryd. Pwy fydde'n edrych ar ôl eu teuluoedd nhw rŵan, pan fydden nhw yn Van Diemen's Land? Cyfiawnder mewn llys barn? Dyne sut yr oedd cyfreth y Sais yn dangos cyfiawnder!

A fedrwn i ddim peidio meddwl ble'r oedd Thomas Llewelyn. Sut nad oedd o wedi cael ei enwi heddiw? Roedd o'n un o'r arweinwyr – y fo ddaru mynd â ni dros y mynydd i dŷ Fothergill. Y fo ddaru annog i ni weithredu am y tro cynta yn erbyn y meistri. Dwi'n dal i feddwl fod yne ddrwg yn y caws yn y fan yne, Huw.

Os mai alltudieth am oes oedd y ddedfryd ar y pedwar, beth oedd o flaen Lewsyn a Dic?

Roedd yne ddau gyhuddiad yn erbyn Lewis Lewis. Yn gyntaf, ei fod o wedi cymyd rhan amlwg yn y 'mosod ar dŷ Joseph Coffin nos Iau, Mehefin 2ail; ac yn ail, ei fod o wedi annog y dorf o flaen y Castle Inn i ymosod ar filwyr y 93rd Highland Regiment a dwyn eu harfe nhw ar ddydd Gwener, 3ydd Mehefin. Doedd yne ddim prinder tystioleth i'r naill peth na'r llall, ac unwaith eto roedd pawb yn derbyn mai euog fydde'r dyfarniad. Cyhoeddodd y Barnwr Bosanquet, mewn llais cras dideimlad, ar y cyhuddiad o achosi cydgynulliad terfysglyd, "Euog". Ar y cyhuddiad o ddistrywio tŷ ac eiddo Joseph Coffin, "Euog". Y ddedfryd – marwolaeth!

Roedd hi fel tase pawb wedi bod yn dal eu gwynt yn disgwyl am y ddedfryd, ac wedyn yn gollwng ochenaid "O! O! Na!" "O! Na!" "I farwoleth?" "I'w grogi?" "Lle mae'r cyfiawnder mewn dedfryd fel yne?"

"Richard Lewis, you are accused of riotously assaulting with others at Merthyr Tydfil, and feloniously attacking and wounding Donald Black of the 93rd Regiment, with a bayonet while on duty."

"Not guilty, my lord."

Be oedd y busnes yma? Doeddwn i ddim wedi dallt ei fod o'n cael ei gyhuddo o ddim byd mwy nag a gafodd Lewsyn. Ond 'wrach nad oeddwn i ddim wedi clywed am 'y mod i'n sâl hefo'r hen goes yma. Doedd o ddim o flaen y Castle yng nghanol yr ymladd; mi fedrwn i fod yn dyst o hynny! A mi roedd o'n ddigon hawdd i'w nabod hefo'r gwallt melyn yne, a'r gôt las yne; doedd yne neb yn haws ei nabod. Doedd yne ddim posib i neb fethu; fedre neb ei gamgymryd o am neb arall.

Roedden nhw'n holi oedd o'n un o'r dorf o flaen y Castle.

Wel oedd, medde fo.

Pam oedd o yno, mewn cydgynulliad terfysglyd?

"I have nothing to say, my lord, only that I was starving and that all my friends were the same." Doedd y dorf ddim ond yn gofyn am y pethe sylfaenol, dyne pam yr oedden nhw'n gweiddi am gaws a bara. Roedd pawb yn llwgu, a pha ffordd arall oedd ganddyn nhw o dynnu sylw at eu trueni? Doedd y meistri'n gwrando dim arnyn nhw.

Oedd. Roedd yn un o'r deuddeg aeth i mewn i drafod hefo'r meistri.

Na. Chawson nhw ddim ateb boddhaol i'w gofynion.

Naddo. Ddaeth o ddim allan hefo'r un ar ddeg arall. Roedd o wedi mynd allan drwy ddrws cefn y gwesty ar ôl hynny.

Oedd. Yn berffaith siŵr o hynny.

Nagoedd. Doedd o ddim o flaen y Castle pan oedd Lewis Lewis yn annog y dorf i gymyd arfe'r milwyr.

Naddo. Ddaru o ddim ymosod ar y milwyr. Doedd o ddim yno.

Oedd. Roedd o wedi gwrando ar dystioleth y ddau gwnstabl, James Abbott a William Williams, yn dweud ar eu llw eu bod nhw wedi ei weld o'n ymosod ar Private Donald Black, ac yn ei glwyfo hefo bidog.

Na. Doedd eu tystioleth nhw ddim yn gywir.

Na. Fedre fo ddim rhoi rheswm pam nad oedden nhw'n deud y gwir.

A finne'n gwbod yn iawn fod Abbott wedi tyngu i ddial ar Dic ar noson yr ymladd hefo'r Vicar of Bray, am iddo fo'i ddal o'n rhedeg i ffwrdd hefo'r peder sofren felen – dyne yn siŵr oedd un rheswm am ei gelwydde. Ond roedd yne fwy na hynny, dwi'n meddwl. Dwi'n meddwl fod Abbott wedi derbyn arian gan rywun i ddeud anwiredd, a mi faswn yn rhoi cynnig go siŵr ar enw hwnnw hefyd! A sut y medre fo fod wedi gweld Dic o gwbwl? Doedd o nunlle yn y golwg tra oeddwn i o flaen y Castle, os nad oedd o'n un o'r cwnstabliaid yn y stafell hefo'r meistri ac yn edrych i lawr drwy'r ffenest.

Oedd. Roedd o'n deud eu bod nhw'n deud celwydd. Sut y medre fo fod wedi ymosod ar Private Black pan nad oedd o ddim yn y fan a'r lle?

Oedd. Roedd o'n hawdd ei nabod oherwydd ei wallt melyn.

Bydde. Mi fydde'n anodd ei gamgymryd o am rywun arall.

Teimlais chwys oer ar fy nhalcen, a thynnais 'y nghap yn dynnach am fy mhen.

Oedd. Roedd o'n dal i ddeud nad oedd tystioleth Abbott a Williams yn gywir.

Oedd. Roedd o'n credu fod Abbott a Williams yn deud anwiredd ar lw.

Nagoedd. Doedd o ddim o flaen y Castle; roedd o tu allan i ddrws cefn y Castle pan glywodd o'r sŵn tanio, ac mi redodd i lawr i'w dŷ yn Ynys-gau at ei wraig Mari oedd newydd gael plentyn.

Na. Doedd o ddim yn rhedeg am ei fod yn euog.

Na. Doedd bod yn un o'r dorf tu allan i'r Castle pan ddarllenwyd y Riot Act ddim yn drosedd, na bod yn un o'r deuddeg a aeth i mewn i'r Castle i drafod.

Oedd. Roedd o wedi ffoi pan dorrwyd y streic, am fod y milwyr a'r awdurdode'n chwilio hefo crib mân am bob un oedd wedi cymyd unrhyw ran yn y gweithrediade.

Na. Fe'i daliwyd yn ei dŷ yn Ynys-gau, ac nid yn y coed ar ben y mynydd.

Na. Doedd o ddim yn gwbod pam yr awd â fo i dafarn y Lamb – "unless it was for the greater satisfaction of William Crawshay."

Dene hoelen yn dy arch di, Dic bach.

Symud ymlaen at y ddogfen yn llaw yr erlynydd.

Oedd. Roedd o'n gweld y ddogfen.

Na. Doedd o ddim wedi ei gweld hi o'r blaen.

Na. Doedd o ddim yn gwbod be oedd ei chynnwys.

Oedd. Roedd o'n fodlon i'r cynnwys gael ei ddadlennu.

Na. Doedd o ddim wedi cyfadde'i fod o'n euog, nac ychwaith ei fod wedi erfyn am drugaredd.

Na. Wydde fo ddim pwy fydde awdur y fath ddogfen. Pam na fydden nhw'n holi'r sawl a ddaeth â'r papur i'r llys?

Na. Doedd dim gwirionedd yn y ddogfen, ac yn ôl a welai, doedd hi ddim hyd yn oed wedi ei hardystio.

A dyna derfyn ar holi Dic.

Pwy fydde'r tystion dros yr erlyniad?

"You are Donald Black, a Private in the 93rd Highland Regiment."

"Yes, sir."

"You were attacked and stabbed outside the Castle Inn, Merthyr, on June 3rd this year."

"Yes, sir."

" How would you describe your assailant?"

"He was a very powerful man to wrest the musket and bayonet out of my hand and stab me in the hip."

"Would you recognise your assailant if you saw him again?"

"I believe so, sir."

"Do you see your assailant in this courtroom?"

Edrychodd Black o gwmpas y llys yn ofalus.

"No, sir."

Petai Lewsyn heb fod yn ei gell, fydde'r ateb yr un fath, ys gwn i?

Ond er nad oedd yne ddim sicrwydd tystioleth fod Dic y tu

allan i'r Castle o gwbwl, ac er fod pawb yn credu fod Abbott yn gelwyddog, ac mai tyngu anudon ddaru o, derbyn ei dystioleth o ddaru nhw, a dyfarnwyd Dic druan yn euog.

Mae'n rhaid fod y rheithgor wedi cael eu prynu a'u gwerthu. Roedd y dystioleth yn dangos yn amlwg nad oedd Dic ddim ar gyfyl Black ar unrhyw amser.

Oedd. Roedd ganddo rywbeth i'w ddeud cyn y ddedfryd. Petaen nhw'n ei gyhuddo o fod wedi ymladd dros iawndere'i gyd-weithwyr, ac o fod wedi dadle yn erbyn tlodi, ac yn erbyn yr amgylchiade annioddefol ac annynol yr oedd ei gyd-weithwyr yn gorfod eu diodde... bydde, fe fydde wedi bod yn euog o hynny. Ond yr oedd yn ddieuog o fod yn un o'r terfysgwyr oedd o flaen y Castle, ac yn ddieuog o fod wedi ymosod ar Private Black a'i anafu hefo bidog.

"My lord, I pleaded not guilty, and before God I am not guilty. I was not one of the rioters in front of the Castle, I was not there to injure Private Black."

A'r ddedfryd? Marwoleth. I'w grogi ymhen mis, ar y chweched o Awst.

Roedd y llys yn ferw, bedlam ulw; pobol yn gweiddi yn erbyn y ddedfryd, merched yn crio ac yn sgrechian, eraill yn sefyll yn eu hunfan yn fud ac yn methu credu. Mi weles Morgan Howells, a mi roedd Mari'n eiste yn ei ymyl o fel tase hi wedi llewygu. Roedd o'n sefyll a'i freichie ar led fel tase fo'n ymbilio ar y Barnwr. A dyn mewn het ddu isel a chantal llydan; a dwi'n siŵr mai Joseph Tregelles Price y Crynwr fydde hwnnw – hwnnw oedd yn gyfrifol am ddod â chegine cawl i Ferthyr... a'i ben i lawr a'i lygaid ar gau fel petai o'n gweddïo.

Ond wysti, Huw, dyne oedd nod Crawshay a'r awdurdode o'r dechre un. Doedd dim byd i gael amharu ar addoliad Duwies Elw! Roedden nhw isio cael dileu pob syniad am undeb, isio'i godi o o'r gwraidd, a'u ffordd nhw o neud hynny oedd gyrru rhai o'r arweinwyr i Van Diemen's Land, a'r ddau mwya dylanwadol i'r grocbren.

Ac wrth gofio'n ôl, dyne oedd rhybudd Twiss, eu bod nhw wedi gyrru Aaron Williams a Samuel Hill i'r grocbren ddeng mlynedd ar hugien yn ôl, a'n bod ni'n delio hefo'r un bobol benderfynol a dideimlad eto heddiw.

Siwrne drist, ddigalon oedd hi i mi yn ôl i Lanedeyrn, ac i lawer iawn yr un fath â mi. Methu credu'r fath ganlyniad ofnadwy a chreulon. A mi roedd euogrwydd o ryw fath yn pwyso arna i hefyd. Mi alle fod Abbott wedi gweld 'y ngwallt melyn i pan oeddwn i'n sefyll hefo Lewsyn a fynte'n argyhoeddi'r gweithwyr fod isio cymyd arfe'r milwyr, a phan oeddwn i'n trio cael gafel ar ddryll y milwr, ac wedi cymyd mai Dic oeddwn i. Ond... Na!... Doedd hynny ddim yn gneud sens, chwaith; roeddwn i'n gwisgo smoc lwyd a thrwsus llwyd, a doedd gen i ddim côt las. Na, deud celwydd oedd Abbott. Roedd o am ddial ar Dic; mi glywes i hynny â'm clustie fy hun, noson y ffeit. A mi ddeuda i eto; synnwn i ddim nad oedd yne dipyn o arian wedi newid dwylo hefyd. Arian pwy? Wel, arian y meistri, yntê, a'r mwyaf o'r rhai hyn yw Crawshay.

Roeddwn i'n lwcus fod gan Edward Rees gydymdeimlad hefo achos y terfysgwyr; ganddo fo roeddwn i'n cael gwbod be oedd yn digwydd. A mi roeddwn i'n cael golwg ar y papure newydd weithie; felly roeddwn i'n cael yr hanes.

Roedd Morgan Howells yn mynd i'r carchar i'w weld o'n gyson. Roedd o'n argyhoeddedig o anghyfiawnder mawr. Fuon nhw 'rioed yn rhyw ffrindie mawr cynt, ond mi ddaru nhw glosio'n arw amser 'ny. Roedd hi'n amlwg fod Dic yn hollol ddidwyll ynglŷn â'i ddaliade, a mi roedd Morgan Howells yn parchu hynny.

Roeddwn i'n iawn; Joseph Tregelles Price oeddwn i wedi ei weld yn y frawdlys, hefo'r het isel ddu. Mi fuodd i weld Dic lawer gwaith yn y carchar, a mi roedd ynte hefyd yn credu'n gydwybodol fod yne annhegwch mawr yn achos Dic, a'i fod o'n ddieuog. Dwi 'di deud, on'do, Huw, ei fod o'n Grynwr, a mi roedd gyno fo enw da am edrych ar ôl ei ddynion yn y gwaith haearn yng Nghwm y Felin, Mynachlog Nedd. Mae'n siŵr fod y meistri eraill am ei waed o, yn meddwl amdano fo'n trefnu cegine cawl ym Merthyr – a hynny ar batsh Crawshay a Hill a'r rheine, a nhwthe'n gneud eu gore i sathru'r gweithwyr yn y baw! 'Rargen, roedd hynny'n dangos be oedden nhw, a be oedd o!

Unwaith yr oedd Tregelles Price wedi cael ei ddannedd yn rhywbeth, doedd yne ddim gollwng i fod. Mi ddaeth o hyd i dystioleth gadarn am ddyn oedd wedi trywanu Black, a'i fod o wedi cael ei saethu yn ei aren, ac wedi marw a'r dryll a'r bidog yn dal yn ei law o. Ddaeth y dystioleth honno ddim i'r llys. Mi fydde'r erlyniad wedi gneud yn siŵr o hynny. Fedra i ddim deud 'y mod i wedi gweld y dyn hwnnw chwaith, er 'y mod i'n gorwedd wrth wal y Castle ac yn gweld y rhan fwya o be ddigwyddodd. A mi ddaeth o hyd i bobol oedd yn fodlon mynd ar eu llw mai dyn yn gwisgo smoc lwyd a thrwsus llwyd oedd wedi trywanu Black, a chlywyd mo'r rheini yn y llys, chwaith. A mi fase hynny'n cadarnhau'r dystioleth am hwnnw laddwyd, ac yn siŵr yn gwrthddeud tystioleth Abbott oedd wedi mynd ar ei lw iddo fo weld Dic yn trywanu Black, a Dic yn gwisgo côt las a thrwsus glas! Roedd y peth yn wrthun!

Roedd pobol yn anfoddog ofnadwy ynglŷn â'r ffordd oedd Dic wedi cael ei drin, a mi gafwyd deiseb yn gofyn am wyrdroi'r ddedfryd, ac un fil ar ddeg yn ei harwyddo. Un fil ar ddeg! Mi ddaru minne arwyddo honno. O leia mi wnes hynny! Ond doedd yr awdurdode'n cymyd dim sylw o Tregelles Price. Roedden nhw'n ei anwybyddu o'n llwyr.

A wysti be nath o? Mi aeth i Lunden a mynnu cael yr Arglwydd Ganghellor, Arglwydd Brougham, allan o'r theatr lle'r oedd o'n gwylio rhyw ddrama, i wrando'r dystioleth newydd oedd o wedi dod o hyd iddo, ac wedyn mi roddodd y ddeiseb iddo fo. Twrne oedd yr Arglwydd Ganghellor, a mae'n rhaid fod y dystioleth newydd a'r ddeiseb wedi cael dipyn o effaith, achos mi barodd i'r Arglwydd Melbourne ohirio'r ddedfryd am ddeg diwrnod. Roedd hynny ar y dydd Iau. Erbyn y dydd Sadwrn, wythnos cyn dyddiad y crogi, roedd y ddedfryd ar Lewsyn wedi cael ei gwyrdroi. Yn hytrach na mynd i'r grocbren, roedd o i'w gael ei alltudio am oes i Van Diemen's Land.

'Wrach nad oedd dim isio llawer i newid dedfryd Lewsyn; roedd yne sôn wedi bod ei fod o'n blentyn siawns i ŵr Bodwigiad, a beth bynnag, roedd o wedi bod yn troi ymysg y meistri tir amser hela, a mae'n siŵr fod yne dipyn bach o gydymdeimlad tuag ato fo.

Disgwyl roedd pawb rŵan, disgwyl am unrhyw newydd am newid dedfryd Dic. Mi aeth Awst y chweched heibio, a'n c'lonne ni'n dechre 'sgafnu. 'Wrach y bydde 'ne wyrdroi'r dyfarniad. Ar y dydd Mercher dyma'r düwch yn ôl. Yr Arglwydd Melbourne yn gweld dim rheswm dros newid y ddedfryd, a bod Dic i'w grogi ddydd Sadwrn. Wedi diystyru deiseb un fil ar ddeg o bobol, wedi diystyru tystioleth newydd oedd yn dangos mai celwyddgi oedd Abbott, wedi diystyru argyhoeddiad Tregelles Price. Pob ymdrech yn ofer a'n gobeithion ni'n llwch.

Ac o edrych yn ôl, ac wedi darllen dipyn bach o'r hanes a chysidro, roedd Melbourne dan bwyse gan Arglwydd Grey, y prif weinidog, i ddileu undebeth. Pa obaith oedd gweld newid y dyfarniad? Dic druan!

## Pennod 7

... Ia'n wir, Huw, er i Joseph Tregelles Price neud ei ore glas, doedd yne ddim oedi dienyddiad i fod. Mi ddeudodd Lord Melbourne nad oedd o ddim yn gweld dim rheswm dros newid y dyfarniad, ac i fynd ymlaen â'r dienyddio y dydd Sadwrn canlynol, y trydydd ar ddeg o Awst. Roedden nhw wedi methu cael crogwr wrth ei grefft y dydd Sadwrn cynt, ond mi roedd crogwr Caerwrangon ar gael y dydd Sadwrn yma – yr unig un, medden nhw, oedd yn fodlon gneud y gwaith.

Roeddwn i wedi cychwyn cerdded i Gaerdydd ddydd Gwener, a mi roedd yne ugeinie o ddynion yn cerdded yr un ffordd. Weles i 'rioed dyrfa debyg; llawer iawn yn eu du, yn cerdded heb siarad, heb sŵn ond sŵn traed. Roedd y teimlad mor gry fod Dic yn ddieuog, bod y dystioleth yn ei erbyn o wedi cael ei phrynu, bod Abbott wedi deud celwydd ar ei lw, ac nad oedd yne ddim cyfiawnder i'w gael dan gyfraith Lloegr. Hefyd, teimlad o euogrwydd bod y streic wedi darfod fel diffodd cannwyll, a'r holl ymdrech a'r colli bywyd wedi bod yn ofer.

A dyna'r glaw yn dod, fel petase'r nefoedd yn agor, a phobman yn llifo, a ninne'n cerdded ymlaen yn wlyb at 'n crwyn, a mewn rhyw ddistawrwydd sarrug.

Roedd yne dyrfa o gannoedd y tu allan i'r carchar yn y bore, a minne yno ymhell cyn yr amser, yn edrych ar y grocbren – ond o bell, gan feddwl am yr hen Dic druan, ac am Mari a'r babi. Distawrwydd eto yn y fan honno, ond am sŵn tarane fel drymie o bell. Gosodais fy hun yn ymyl y wal gyferbyn â'r grocbren a disgwyl.

"Glywsoch chi fod Mari wedi cerdded i lawr o Ferthyr ddoe hefo'r babi yn ei breichie, a chael ei dal yn y glaw ofnadwy yne? A bod y babi wedi cael confylsiwn, ac wedi marw?" Roedd y si yn mynd drwy'r dyrfa. Druan ohonot ti, Mari; y byd i gyd yn dymchwel o dy gwmpas.

Roedd hi yno'n sefyll yn ddewr, hi a Twm a Rachel, brawd a chwaer Dic, ac ar flaen y dorf.

Dyma nhw, yn cerdded o'r carchar ac ar y llwyfan crogi; Dic yn ddewr a diofn, a'r crogwr o Gaerwrangon, arolygwr y carchar a William Rowlands, y gweinidog Wesle oedd newydd ddod i Ferthyr, a rhyw dri arall o weinidogion hefo fo.

Tra oedd y crogwr yn rhwymo'i ddwylo y tu ôl i'w gefn, dyma Dic yn dweud mewn llais uchel, "Dwi'n mynd i ddiodde, a hynny yn anghyfiawn. Mae Duw, a ŵyr bob peth, yn gwbod hyn."

Yn yr eiliad honno, a fynte'n edrych o'i gwmpas, mi ddaru 'ngweld i, a dwi'n gwbod ei fod o wedi'n nabod i. Mi deimles i rywbeth bron fel fflach o fellten wrth i olygon y naill a'r llall ohonom gyfarfod. A mi roeddwn i'n gwbod i sicrwydd ei fod o wedi sylweddoli mai fy ngwallt melyn i oedd Abbott wedi ei weld y tu allan i'r Castle.

Wedyn mi blygodd y crogwr i rwymo traed Dic, ac estyn am y gorchudd du i'w roi am ei ben. "O! Dduw, dyma gamwedd! O! Dduw, dyma gamwedd!" gwaeddodd Dic mewn llais mawr. Wedyn gosod y gorchudd, estyn dolen y rhaff am ei wddw, a gosod y cwlwm wrth ei glust. A dyna fflach o fellten go iawn yn 'n dallu ni ac yn goleuo'r grocbren a'r dyrfa, a tharan nes bod y ddaear yn crynu. A'r crogwr yn gollwng y trap. Am eiliad ddigwyddodd dim, ond roeddwn i'n gweld Dic yn syrthio yn ei flaen yn araf, fel petai o wedi bachu ei swdwl yn yr ochor, ac yna i lawr â fo ond yn symud yn ôl a blaen fel pendil, nes i'r crogwr gydio yn ei goese a rhoi ei holl bwyse arnyn nhw. Bron na chlywech chi'r gwddw'n torri. A rhyw ochenaid fawr, ddwys gan y cannoedd oedd yn edrych. Dim mwy na rhyw ddau funud nad oedd popeth ar ben. Dwi ddim yn meddwl iddo fo ddiodde'r nesa peth i ddim.

Rŵan roedd y corff yn troelli'n ara, fel y pwn dyrnu yn y sgubor erstalwm, a chorneli'r gorchudd fel clustie'r sach. A mi roeddwn i'n cael y teimlad fod Dic yn medru gweld ac yn edrych arna i drwy ddefnydd du y gorchudd, a hynny dro ar ôl tro wrth i'r corff droelli'n ara, ara. A'r teimlad hwnnw'n cryfhau cryfhau wrth iddo droelli, nes bod y teimlad yn annioddefol.

*"Paid ag edrych arna i! Paid ag edrych arna i, Dic!"* mi glywes 'n hun yn gweiddi. Teimles gyfog yn codi yn fy ngwddw, a phlyges i'r ochor i chwydu. Mae'n rhaid fod yna rywun wedi

symud a baglu yn f'erbyn i, a'r peth nesa wyddwn i roeddwn i'n syrthio 'mlaen, a 'mhen i'n taro yn erbyn y wal.

*     *     *

"Helpa fi, Huw!" Agorodd yr hen ŵr ei lygaid, a syllu'n wirion ar Gwenno a Gwilym.

"Be 'dach chi'n neud yn y fan'ma? Lle mae Huw? Sut 'y mod i yn y gwely?" a cheisiodd godi ar ei eistedd. "O! 'mhen i!" Cydiodd yn ei ben hefo'r ddwy law, ac yna tynnodd un dros ei wyneb a'i drwyn a rhyw hanner gwenu.

"Peidiwch â thrio codi, Nhad; gorweddwch yn dawel am 'chydig. Mi rydech chi'n gorwedd yn y gwely yne ers pedwar diwrnod. Mi rydech chi'n bownd o deimlo'n od wrth godi'ch pen. Ydech chi ddim yn cofio syrthio a tharo'ch pen wrth fynd i lawr at y cwt ieir?"

"Nac ydw, ond dwi'n cofio syrthio a tharo 'mhen yn y wal. Na... dydi hynny ddim yn iawn, yn nac ydi? Be sy wedi digwydd, dywed?"

"Dwi ddim yn gwbod, Nhad. Y cwbwl wn i ydi'ch bod chi a Huw wedi mynd i lawr i gau ar yr ieir, a'ch bod chi wedi syrthio a tharo'ch pen yn y postyn. Mi ddaru Gwilym a finne'ch cael chi'n ôl i'r gwely yma, a chael y doctor i'ch gweld chi, a mi rydech chi wedi gorwedd yn y fan yne ers hynny. A'r funud yma, mi rydech chi wedi gweiddi, "Paid ag edrych arna i, Dic!" fel tasech chi yn yr hen hunlle ofnadwy yne eto. Chlywes i 'rioed mo'noch chi'n enwi neb o'r blaen yn 'ch hunlle, a dwi 'di'ch clywed chi'n gweiddi lawer, lawer gwaith. A fel yr oeddech chi'n gweiddi, dyma chi'n agor 'ch llygid. Ydech chi'n gwbod ar bwy oeddech chi'n galw? Pwy oedd y Dic yma?"

"Wel, Dic, Dic Penderyn, wrth gwrs. Aros funud, dwi reit gymysglyd eto. Ydw, dwi yn cofio mynd i lawr at yr ieir, a deud wrth Huw y baswn i'n adrodd dipyn o hanes y Merthyr Riots wrtho fo. Dwi wedi bod ynghanol rhyw freuddwyd hir, a mi roedd Huw hefo fi, a finne'n deud 'n hanes, o'r dechre un hyd at grogi Dic. A dyna oedd yr hunlle, wrth gwrs. Dwi'n ei gweld hi rŵan – crogi Dic Penderyn. Finne'n teimlo'n euog, ac yn teimlo'i fod o'n medru gweld drwy'r gorchudd du."

103

Bu'n ddistaw am beth amser, a dechreuodd Gwenno feddwl tybed beth oedd yn bod.

"Ia, mae pethe'n dod yn fwy clir, rŵan. Wyt ti'n cofio, Gwenno, pan oeddwn i'n deud yr hanes wrthot ti, nad oeddwn i ddim yn cofio Dic Penderyn yn cael ei grogi? Ac eto yn teimlo y dylwn i? Wel, dwi'n cofio pob peth rŵan; mae pob peth yn dod yn glir, fel tase fo wedi digwydd ddoe."

Bu'n ddistaw eto am ysbaid hir, ac yna, "Gwna baned o de imi, Gwenno; mae 'ngheg i'n sych iawn."

Roedd Johnny'n sefyll yn y drws, a photel fechan yn ei law. "Four drop, in honey. Him talk, him talk plenty." Ac wedyn, "Then, him sleep." Troi ar ei sawdl ac allan.

"Mae Johnny wedi rhoi rhyw fath o ffisig i chi, ac ichi ei gymyd o hefo mêl, Nhad. Mi ddeudodd o ar y cychwyn y byddech chi'n gorwedd bedwar diwrnod cyn deffro, a mae o wedi bod o gwmpas ddydd a nos ers hynny."

"Ia, 'dan ni'n dipyn o ffrindie, y fo a fi. A mi fase fo'n gwbod. Dwi 'di dysgu llawer iawn gyno fo, a mae o wedi dysgu dipyn gen i, drwy lyfr Martha, ond be sy'n rhyfedd ydi faint oedd yn gyffredin i'r naill a'r llall ohonon ni. Mi gymra i ffisig yr hen Johnny Shawnee yn gynta, a phaned wedyn."

Wedi i Doctor Harri ddod a'i archwilio fo, a'i holi, dywedodd, "Weles i 'rioed beth fel hyn o'r blaen; mi rydech chi'n holliach. Ar wahân i'r mymryn toriad croen yne ar 'ch talcen chi, dwi'n gweld dim byd o'i le arnoch chi, er 'ch bod chi wedi bod yn anymwybodol am bedwar diwrnod. Does gen i ddim eglurhad am hynny..."

Distawodd am funud, ac yna, "... Ond mae gen i ddamcanieth. Fedra i brofi dim, ond dwi'n meddwl mai rhywbeth fel hyn sy wedi digwydd. 'Ych bod chi wedi syrthio a tharo'ch pen y tu allan i'r carchar yng Nghaerdydd a bod hwnnw wedi achosi *concussion*, ac nad oedd effaith hwnnw wedi clirio'n iawn ar hyd y blynyddoedd. Yna bod y gwymp yma y diwrnod o'r blaen, a tharo'ch pen, mewn rhyw ffordd wedi dad-wneud effaith y *concussion* gawsoch chi dros ddeugain mlynedd yn ôl. Rhyfedd iawn. Wel, rŵan, mi fyddwn i'n eich cynghori chi i beidio gneud gormod am dipyn bach, ei chymyd hi'n ysgafn am ryw ddeuddydd ne' dri."

"Ei chymyd hi'n ysgafn ydi'n hanes i erstalwm, Doctor Harri bach; dwi ddim wedi gneud diwrnod caled o waith ers dwn i ddim pryd. Gwilym 'ma sy'n gneud y rhan fwya o'r gwaith ers dwy ne' dair blynedd, bellach."

Fedrai Gwenno ddim atal rhag deud, "Roedd Johnny'n iawn pan ddeudodd o am 'y nhad, doctor."

"Wel oedd, ond cyd-ddigwyddiad ydi peth felly, yn siŵr ichi."

Llais bach, "Ydech chi'n well, Taid?"

"Ydw diolch, yn llawer iawn gwell rŵan, Huw!"

"Ydech chi'n ddigon da i ddeud yr hanes rŵan, Taid?"

"Wel ydw, yn siŵr, ond mae'n rhy hwyr i ddechre heno. Na, bydd bore fory'n hen ddigon buan i ddechre, Huw. Mae gen i lawer o waith siarad hefo dy fam a Gwilym cyn hynny, a beth bynnag, mae'n amser i ti fod yn dy wely. Wela i di yn y bore."

Bu'n dawel am ychydig. Yna dechreuodd siarad fel petai yna ddim amser i'w golli.

"Does gen i ddim llawer o go' o'r amser rhwng crogi Dic, a'r bore wedyn. Dwi'n gwbod iddyn nhw dorri'r corff i lawr ymhen yr awr, a'i roi yng ngofal Mari. A maen nhw'n deud fod y rhan fwya o siope Caerdydd ar gau drwy'r dydd, a rhyw dawelwch drwy'r dre. Ond dwi'n cofio cychwyn am chwech o'r gloch y bore wedyn, y bore dy' Sul. Roedd chwaer Dic wedi trefnu cael gambo – trol faswn i'n ddeud, ond dyna'r enw oedd ganddyn nhw – i gario'r corff a'r arch i'r fynwent. A dyma gychwyn ar y daith i Aberafan. Mae'n rhaid fod yne ugien gambo; ew, mwy na hynny, nes at ddeg ar hugien i gyd, a phobol yn cerdded yn dilyn yr arch yn eu cannoedd. Rhai yn gwthio drwy'r dorf i gyffwrdd corff Dic, rhai dim ond yn nesu ac yn cyffwrdd y gambo, a rhyw dawelwch a thristwch fel cwmwl amdanon ni i gyd. Mi ddaru ni aros yn rhywle am fwyd a diod; dwi ddim yn cofio ymhle. Trwy'r Bont-faen, ac erbyn cyrraedd y Pîl yn hwyr y prynhawn, roedd yno filoedd ar filoedd yn disgwyl. Disgwyl i dderbyn Dic a'i hebrwng ar ei siwrne ola i'r fynwent. Mae'n rhaid ei bod hi wedi cymyd dwyawr i fynd o'r Pîl i eglwys y Santes Fair yn Aberafan, roedd yna gymint o bobol.

Roeddwn i'n ôl ymhell yn y dyrfa, ac yn gweld dim, nes i Morgan Howells sefyll ar wal y fynwent a chodi ei law am dawelwch. Mi gofia i am byth y geirie lefarodd o wrth ddechre'i deyrnged: "Dic bach, wyt ti yma? Doedd dim ofn y rhaff arnat ti!" A *doedd* dim ofn y rhaff arno fo chwaith, mi weles i hynny; mi gerddodd yn ddewr a diofn i'r llwyfan crogi. Ond mi roeddwn i wedi dangos ofn, ofn mynd i dystio nad oedd o ddim y tu allan i'r Castle, ac na fedre fo ddim bod wedi trywanu'r sowldiwr Black, am 'y mod i'n ofni y baswn i'n cael fy nghymyd i'r carchar yn ei le; ofn y basen nhw'n meddwl mai fi ddaru, am fod gen i'r un lliw gwallt â Dic. "Doedd dim ofn y rhaff arnat ti!" Roedd y frawddeg yn clymu am bob syniad oedd yn fy mhen i.

Maen nhw'n deud fod yna golomen wen wedi hedfan ac wedi gorffwys ar yr arch. Dwn i ddim; weles i ddim byd ond dalen o bapur yn codi ar y gwynt ac yn disgyn rywle yn ymyl Morgan Howells. Ond mae yne duedd i stori dyfu yn y deud, a mi roedd hanes Dic druan yn bownd o hel ychwaneg ato; 'wrach fod y stori'n wir.

Mi wnes fy ffordd at Mari ar y diwedd i gydymdeimlo hefo hi, ond cyn i mi gael deud gair, roedd hi wedi edrych ar 'y ngwallt i, a mi weles yn ei llygad hi ei bod hithe, 'run fath â Dic, wedi sylweddoli be oedd wedi digwydd. "Y ti oedd y tu allan i'r Castle; y ti ddaru Abbott weld, yntê? Pam na fyddet ti'n ddigon o ddyn i gyfadde, y llwfrgi, y cachgi! Cer yn ôl i ble bynnag y doist ti, Tomi North; does gen i ddim isio dy weld di eto, a fydd yne neb yn Merthyr isio dy weld di, chwaith. O leia mi ges i flwyddyn a hanner hefo Dic, a chael cario'i fab o. O leia mae gen i atgofion. Does gen ti ddim ond gweddill dy oes i fod yn edifar, y bradwr."

"Ond wnes i ddim trywanu Black, Mari ...", ond roedd hi wedi troi ar ei swdwl, heb glywed, heb fod isio clywed be oedd gen i i'w ddeud.

Roeddwn i'n sefyll yno. Yn ysgymun. Yn y gwaelod isa. A dyma ddaeth i'm meddwl i, fod y ceiliog wedi canu dair gwaith i mi – Flaxen Hall, Rhos, a Merthyr. Mi deimles ryw ddigalondid a diflastod yn dod drosto' i, a throis fy nghefn ar Aberafan a gweddillion Dic, a dechre cerdded am adre.

Dwi wedi meddwl lawer gwaith wedyn, wedi cael digon o amser i feddwl, dwi ddim yn credu y byddai unrhyw beth y baswn i wedi'i ddeud wrth yr awdurdode wedi gneud dim gwahanieth. A nid trio achub 'y mai ydw i, ond dwi'n meddwl eu bod nhw wedi penderfynu gneud i ffwrdd â Lewsyn a Dic o'r dechre – ia, cyn

106

cychwyn y terfysgu hyd yn oed. Dic oedd y meddyliwr, a Lewsyn oedd y gweithredwr, a ganddo fo roedd y dafod arian i gynhyrfu'r gweithwyr. Roedd Lewsyn wedi medru osgoi dienyddio, ond roedd o ar ei ffordd i Van Diemen's Land, er hynny, ac am y gweddill o'i oes. Ond doedd yne ddim troi yn ôl i fod ar y penderfyniad i ddienyddio Dic. Roedd yr awdurdode am gael 'madel â Moses ac Aaron, 'dach chi'n gweld, y meddyliwr a'r llefarydd.

Roedd y stormydd wedi cilio, a mi gerddes nes o'n i'n teimlo'n flinedig, a 'mhen i'n dyrnu ar ôl ei daro – troi i mewn i gae a chysgu yng nghysgod y gwrych tan y bore.

"I'm leaving, Mary, heading north. I'll just collect my things and I'll go. But I want you to have these," a rhoddes ddwy sofren felen iddi, dwy o'r pedair a ges i gan Dic ar ôl ei ffrae hefo Abbott y barbwr. Roedd Mary wedi edrych ar 'yn ôl i yn iach ac yn wael tra bûm i yn y dre.

"I'll be sorry to see you go, Tom. Thank you for this, but you've no need to, and thank you for some of the good times we've had. You're a lovely boy, Tom." Roedd yne Wyddelod a Gwyddelod, ond roedd Mary'n Wyddeles o'r iawn ryw.

Doedd gen i ddim llawer i'w hel at ei gilydd: 'chydig o ddillad, 'chydig o bres, a llyfr Martha, tun o eli briwie – dim llawer o bwyse yn y sach ar ôl tair blynedd. Atgofion, oedd, digon o'r rheini, ond roeddwn i'n falch o gael mynd o'r sŵn a'r budreddi diddiwedd, a'r hogle, a'r tlodi torcalonnus, a chyfoeth Crawshay yn cyferbynnu mor amlwg, mor glir yn y Castell uwchben y dre.

Wedi mynd drwy Gefn Coed y Cymer, a gweld bod yr awdurdode wedi clirio'r creigie a'r cerrig oddi ar y ffordd ar ôl y frwydr yn y ceunant, mi deimles wres yr haul ar fy nghefn. Doedd pethe ddim yn edrych lawn mor ddu. A mi ddaeth imi yn sydyn; roedd hi'n ddydd pen blwydd arna i, y pymthegfed o Awst, 'y niwrnod arbennig i fy hun, fel dywedodd Wiliam. Roeddwn i'n un ar hugien oed! Teimles y cwmwl o ddiflastod a digalondid yn dechre codi, a minne'n gwynebu'r ffordd dros y Bannau rhwng Pen y Fan a'r Fan Fawr "a'm traed yn gwbwl rydd". A dyna'r amser y penderfynes ymfudo i'r America, a chychwyn bywyd o'r newydd. A dyna sut yr yden ni'n tri yma heno.

Ond roedd gen i ddau beth i'w neud, a'r cynta oedd cael 'gair bach' hefo Billy Joy. Roeddwn i wedi gneud adduned i mi fy hun

107

y byddwn i'n mynd yn ôl i Pant – roedd yn rhaid imi adennill 'n hunan-barch.

"Wel, tawn i byth o'r fan yma, Twm Dimbech! O ble doist ti? Mae 'ne flynyddoedd ers pan gest ti gw... ers pan est ti i ffwrdd."

"Oes, tair blynedd, Ieu! Ia, a chweir ges i hefyd; dyna pam yr ydw i yma, am fod Billy Joy wedi rhoi cweir imi. Dwi 'di dod 'nôl am fod gen i isio talu'r pwyth yn ôl iddo fo. Dwi ddim yn bwriadu aros yma. Does gen i ddim isio gweithio yn Pant 'ma. O! nac oes. Dwi ar 'n ffordd i Lerpwl i chwilio am long i fynd i'r America. Ond faset ti'n fodlon gneud dau beth i mi, Ieu? Faset ti'n cychwyn y stori ar led 'mod i'n chwilio am Billy Joy? Ac yn ail beth, wnei di a Bob Bangor ac Idris sefyll hefo fi os daw hi'n ffeit, ne' pan ddaw hi'n ffeit?"

"Dydi'r hen Idris ddim hefo ni, cofia. Mi gawson ni ffrwydrad ddwy flynedd yn ôl a mi losgwyd Idris yn o arw, a ddoth o ddim trwyddi. Ond beth am Bob Ifans a Michael a .... Duw wanwyl, 'does 'ne giang fydd ddim ond yn rhy falch i sefyll hefo ti? Wyt ti'n siŵr dy fod di'n barod iddo fo – Billy Joy, dwi'n feddwl?"

"Parod? Ydw. Dwi 'di cael tair blynedd yn goliar ym Merthyr, ac wedi cledu, dipyn yn wahanol i be oeddwn i pan ddois i Stryt Isa amser 'ny. Os nag ydw i'n barod rŵan, fydda i byth."

Yr hen Idris druan; faint o weithie y buodd o'n tanio nwy? Ugeinie, os nad cannoedd, mae'n debyg. Ac i feddwl fod 'yr hen ladi' wedi rhoi cusan farwol iddo fo yn y diwedd. Wedi dod mor gyfar-wydd â hi fel nad oedd o ddim yn ei pharchu hi, 'wrach. Hen dro!

Dwi'n cofio bron pob dyrnod o'r ymladd hefo Billy Joy. Mi gyrhaeddodd, yn gyrru ei drol a mul, hefo'i 'osgordd', y criw oedd yn cynffona ac yn ffalsio iddo fo, a dechreuodd yn syth ar ei hen arfer o neud sbort, a bod yn sarhaus. Ond roeddwn i'n meddwl ei fod o dipyn bach yn bryderus, hefyd, am 'y mod i wedi dod i chwilio amdano fo ar ôl tair blynedd, 'mod i'n dangos fod gyna i ddigon o hyder. Ro'n i'n meddwl fod yna hedyn bach o ansicrwydd wedi cael ei blannu. Ond dyna fo'n dechre:

'Pretty Boy, Pretty Boy,
Come to fight with Billy Joy.
Blood and tears, Pretty Boy,
All you get from Billy Joy.'

Doedd o ddim yn edrych llawn mor fawr i mi ag y buodd o; 'wrach mai fi oedd wedi llenwi ac yn fwy cyhyrog. Ond roedd o'n dal yn ddyn mawr, siŵr o fod yn tynnu am drigien pwys yn drymach na fi, a doedd o ddim i gyd yn fol cwrw, chwaith. Ac wedi tynnu ei grys roedd ei sgwydde fo a'i freichie fo i'w gweld yn anferth. Dau ddwrn fel dwy ordd, mi fydde'n rhaid imi osgoi rheini.

Erbyn hyn roedd yne gylch o ddynion wedi ffurfio o'n cwmpas ni, a sŵn a gweiddi a betio. Ond hefo Ieu a'r ddau Bob a nifer o wynebe cyfarwydd o'r tu ôl i mi, mi gawn i berffeth chwarae teg yn y rhan yne o'r cylch!

"Take your boots off, Billy Joy, I'm not having you kick me to pieces like last time." Roeddwn i'n cofio geirie Wiliam, 'yn nhraed eich sane, os medri di'. A thynnu sgidie fu, a dyne fi wedi cael gwared ag un o anifeiliaid Wiliam! Y ceffyl oedd yn cicio! Ac wedi cael un fantais fach arall arno fo – roeddwn i wedi gosod rheol, a fynte wedi cytuno. Roeddwn i wedi meddwl lawer, lawer gwaith sut yr oeddwn i'n mynd i wynebu Billy Joy, pa ffordd i ddod dros yr anfantais o'i faint o, a'i bwyse fo. A mi roedd 'y meddwl i'n glir fel grisial.

Meddylies yn sydyn am Dic Penderyn yn cydio yn Abbott, a'r pedair sofren felen yn syrthio o'i afel o; roedd yne ddwy o'r rheini yn dal gen i. Arian ymladd oedden nhw, beth bynnag.

"Do you want some money on it, Billy Joy? I hold two yellow sovereigns here. Do you want to cover them?"

Eiliad neu ddau o betruso, ac yna, "Yes, all right, Pretty Boy, I'll cover them."

Hedyn bach arall o ansicrwydd!

"Both of you, come up to scratch." Rhywun wedi ei benodi ei hun i gychwyn yr ymladd; dwn i ddim pwy oedd o, ond roedd o'n gwbod rhywbeth am y busnes, o leia.

Prin y ces i godi dyrne nad oedd Billy Joy wedi rhuthro arna i, ond roeddwn i'n barod amdani y tro yma. Cadw cydbwysedd, camu i'r dde, a phlannu'r chwith yn uchel ar ei dalcen. 'Cofia ruthr y tarw', chwedl Wiliam. Troi o'i gwmpas o, ffugio'r hefo'r chwith ac yne'r dde yn galed i fwa ei senne fo, a'i glywed o'n tuchan. Roedd y croen yn gylch gwyn o gwmpas y lle y cafodd o'r ddyrnod. Gweu o'i gwmpas o, osgoi un ddyrnod ond gorfod

109

cymyd un ar f'ysgwydd – 'rargien roedd yne nerth tu ôl i honne! Dwy arall i'w senne fo; y croen yn dechre cochi erbyn hyn, a Billy Joy yn dechre chwythu. Roedd o'n cerdded ar f'ôl i o gwmpas y cylch fel tarw penderfynol, a minne'n symud, symud o hyd, ddim yn gadel iddo fo sefyll, ac yn plannu chwith a de i'w fol o, i'w wyneb o, heb orfod derbyn bron dim. Camu 'mlaen, a chwith yn ddyfn i'r bol a'i dilyn hi hefo croes galed i'w ên o, a rhoi hynny fedrwn o nerth a phwyse tu ôl iddi. Ysgwyd ei ben a chuchio wnaeth Billy Joy, fel petai rhyw wybedyn wedi disgyn ar ei wyneb o, a chamu 'mlaen ar f'ôl i eto. Mi fase honne wedi rhoi'r rhan fwya o ddynion ar wastad eu cefne, ond dal i ddod roedd Billy Joy. Roedd gen i dipyn o waith o 'mlaen.

Roedd gwynt Billy Joy yn mynd yn fyrrach erbyn hyn, ond roedd o'n dal i ddod ar f'ôl i'n benderfynol, a'r ddau ddwrn mawr yn pwmpio allan; doedd o'n gwanio dim er cymint roeddwn i'n ei daro fo. Roedd o'n chwysu, O! roedd o'n chwysu; y chwys yn diferu oddi ar ei dalcen o, ac yn rhedeg i'w lygid o, a fynte'n ysgwyd ei ben ac yn dal i ddod. Roedden ni wedi bod wrthi funude lawer erbyn hyn, heb ysbaid o gwbwl; roeddwn i'n gweithio'n galed ac yn dechre teimlo'r breichie'n mynd yn drwm, a'r hen goes yn brifo ar ôl y bidog. Yn sydyn dyne fi'n rhyw hanner llithro, a chyn codi'n ôl i gydbwysedd roedd Billy Joy wedi rhoi dyrnod imi nes o'n i'n gwegian ac yn camu'n ôl i ymyl y cylch. Mi deimles rywun yn cydio yn 'y mraich i, yn fy rhwystro i, a'r eiliad honno roedd Billy Joy yn rhuthro, ac yn cydio amdana i. 'Cofia goflaid yr arth', ac yn yr eiliad honno mi fedres gael 'y nwy fraich o 'mlaen a rhwng 'y nghoese. A dyne'r gwasgu'n dechre, ond mi roeddwn i'n chwilio am ei geillie fo. Mae'n ddrwg gen am hyn, Gwenno, ond mae'n rhaid imi ddeud y stori fel y digwyddodd hi. Ac wedi cael gafel ynddyn nhw, dyma fi'n gwasgu a throi, a gwasgu a throi, nes yn sydyn roedd Billy Joy yn sgrechian ac yn ochneidio, wedi hen ollwng ei afel arna i, ac yn rhyw hanner hopian yn ei gwrcwd o fewn y cylch.

Ond fel y deudodd Wiliam, doeddwn i ddim yn ymladdwr wrth reddf; doeddwn i ddim yn dal ar fy ngwyliadwrieth, ac wrth ddod heibio imi gan ddal i weiddi a thuchan, dyma Billy Joy yn sythu ac yn rhoi dyrnod imi yn 'y ngwyneb. Y dwrn mawr fel gordd. Mi deimles asgwrn 'y nhrwyn yn torri; mi deimles waed yn 'y ngheg, ac i lawr a fi ar fy hyd, yn trio poeri – poeri gwaed a dant. Roedd y boen cymint nes oedd dagre'n rhedeg o'n llygid i.

Roedd yne gysgod uwch 'y mhen, a mi glywes lais yn deud, "Back to your corner, Billy Joy; half a minute of rest if a fighter goes down." Diolch fyth am pwy bynnag oedd yn rheoli'r ymladd!

"Wyt ti'n iawn Twm?" clywais Ieu yn gofyn. Roeddwn i 'mhell o fod yn iawn. Fedrwn i ddim meddwl am godi a chael dyrnod arall fel'ne. Dyma ddiwedd arna i. Dyma ddiwedd ar y syniad o adfer hunan-barch. Dyma fydde'n hanes i bellach; methu hefo pob peth.

Ond o rywle mi glywes lais Morgan Howells yn deud, "Dic bach, wyt ti yma? Doedd dim ofn y rhaff arnat ti." Roeddwn i wedi gadel i ofn afel yna' i dair gwaith – ond ddim peder, O! na. Doedd dim ofn arna inne chwaith, rŵan. Mi deimles y grym argyhoeddiad oedd Wiliam wedi sôn amdano, a dyna fi ar fy nglinie ac ar fy nhraed, yn gwynebu Billy Joy â rhyw nerth rhyfedd yn fy mreichie, a 'nyrne'n mynd fel morthwylion mawr Gwaith Dur Cyfarthfa. Roeddwn i'n teimlo gobeithion y dynion o 'nghwmpas i; roedd angen trechu'r cawr yma, angen trechu creadur y meistri. Roedd y chwith yn suddo'n ddyfn i fol Billy Joy, a'r dde yn galed o dan glicied ei ên o; chwith i'w dalcen, dde i'w senne, chwith, dde, chwith, dde, symud, symud, troi, troi. Ond roedd o'n cymyd pob peth y medrwn i'i daflu ato fo, ac yn dal i ddod ymlaen. O! roedd o'n ddewr, os dewr hefyd, ond roedd yne benderfyniad di-ben-draw, a minne'n dechre blino, a'r dyrne'n brifo, a gorfod anadlu drwy 'ngheg am na fedrwn i ddim drwy 'nhrwyn. Os na lwyddwn i'w roi o i lawr yn weddol fuan, mi fydde'n ennill, am y byddwn i wedi blino gormod i ddal ati.

'Cofia'r *southpaw*'. Roeddwn i fel petawn i'n clywed Wiliam yn sibrwd yn 'y nghlust i. Doedd gen i ddim byd arall i'w gynnig, a dyma newid a rhoi'r dwrn dde ymlaen, llithro heibio fo i'r chwith a'i ffwndro fo. Ddaru o ddim troi yn syth ar f'ôl i, a mi weles gyfle i roi dyrnod iddo fo fel dyrnod Ifan y go', a mi trewes i o o dan ei glust hefo pob owns o nerth a phwyse oedd gen i. Y ddyrnod olaf. O! 'rargol fawr, dyma'r diwedd. Mi deimles asgwrn yn chwalu yn 'yn llaw chwith, a fedren i ddim ymladd dim mwy. Dyma Billy Joy yn troi, ac yn dod yn ôl ac amdana i. Dyma hi 'te; ond roedd ei lygid o'n dechre croesi, a'i goese fo'n gwegian, a dyne fo i lawr fel sachaid o beillied, yn ddiymadferth hollol. A dyna waedd anferth: "Twm Dimbech wedi curo Billy Joy! Twm Dimbech wedi curo Billy Joy!" A phawb yn cydio yn fy llaw ac yn curo 'nghefn i, ac yn gweiddi ac yn chwerthin. "Cythrel o ffustied oedd honne, Twm!"

Ond doeddwn i ddim wedi gorffen hefo Billy Joy.

"Codwch o a rhowch o ar ei drol fach, bois, a'i wyneb i lawr. Tynnwch ei drowsus o i lawr, a ffon ar ei gefn o a'i din o nes y bydd yn tynnu gwaed, a chychwynnwch o oddi yma. Ddaw o byth yn ei ôl."

Dyne dalu'n ôl iddo fo am y ffordd y gyrrodd o fi o Stryt Fawr, ond pwysicach oedd i dorri ei grib o, a gneud hwyl am ei ben o, fel na fydde fo byth yn medru codi'i ben yma eto.

Llais diarth yn siarad hefo fi. "Lle ddaru chi ddysgu bocsio fel yne, Twm? Mi weles i Daniel Mendoza'n ymladd erstalwm, a mi roedd rhai o'ch symudiade chi'n gneud imi feddwl amdano fo, ond weles i neb erioed yn rhoi dyrnod fel y ddyrnod ola yne. Lle ddaru chi ddysgu honne?"

Fedrwn i ddim deud mai wedi cael y syniad wrth weld Ifan y go'n llorio ceffyl oeddwn i. "O! dipyn yn ffodus fues i, dwi'n meddwl."

"Choelia i fawr. Roedd yne ôl meddwl y tu ôl i honne; newid o fod yn llaw chwith ymlaen i fod yn llaw dde ymlaen yn ei ffwndro fo'n lân. Ond dyma'ch dwy sofren chi, a dwy sofren Billy Joy. Fi oedd yn cadw trefn, a fi oedd yn dal yr arian."

"Diolch yn fawr ichi." Roeddwn i wedi anghofio'n llwyr am y ddwy sofren felen, a chefes i ddim gwbod hyd heddiw pwy oedd y gŵr bonheddig.

Doedd hi ddim yn dda arna i y bore wedyn. Hannah Ifans oedd wedi rhoi gwely imi'r noson honno. Pan ddeffris i roedd y llaw chwith wedi chwyddo fel dwy, ac yn boenus ryfeddol, a phan edryches i ar fy ngwyneb yn y gwydyr, roedd 'y nhrwyn i wedi chwyddo hefyd, ac yn gam, yn hollol gam. Dyna fi'n meddwl na fydde neb yn medru deud 'Pretty Boy' amdana i eto. A mi roeddwn i'n falch, yn falch 'y mod i o'r diwedd yn medru rhoi'r enw yne tu cefn imi."

Pwyllodd yr hen ŵr, tynnu ei law dros ei drwyn, a gwenu. "Faset ti ddim yn meddwl bod dy hen dad yn hogyn smart erstalwm, yn na faset, Gwenno?" Yna aeth ymlaen â'r hanes.

"Mi fûm i'n aros hefo Hannah Ifans am wythnos, ac yn defnyddio'r eli briwie bob dydd nes bod y chwydd wedi mynd o'r llaw ac o'r trwyn.

Dyna'r peth cynta wedi ei neud. Roedd gen i un peth arall.

"Ydech chi'n gwbod be di hanes Wiliam a Marian, Hannah Ifans? Ydyn nhw'n dal yn Flaxen Hall?"

"Ydyn, Twm. Dwi'n clywed drwy John Coed-poeth bob hyn a hyn, a maen nhw'n gofyn yn ddi-ffael ydw i'n gwbod rhywbeth o dy hanes di. Mi fydda i'n siŵr o ddeud wrthyn nhw dy fod ti'n iawn, a dy fod ti wedi penderfynu mynd dros y môr i'r America. Mae'n siŵr fod John wedi clywed y stori am yr ymladd hefo Billy Joy erbyn hyn; mi geith o ddeud yr hanes hwnnw." Doedd Hannah Ifans ddim yn siŵr, fel capelwraig ffyddlon, a ddyle hi gymeradwyo'r ymladd hefo Billy Joy.

"Na, Hannah Ifans, dwi'n meddwl yr a' i i'w gweld nhw fy hun. Dwi'n meddwl ei bod hi'n ddyletswydd arna i, ond yn fwy na hynny dwi isio'u gweld nhw cyn mynd. Mi fuon yn dad a mam i mi, a mi fyddwn yn dal hefo nhw ond i mi wirioni a cholli 'mhen ... Wnewch chi gymyd rhain, imi gael talu 'nyled i chi?" a rhoddais ddwy sofren felen iddi.

Mi fydde'n rhaid imi fod yn ofalus iawn yn mynd i Flaxen Hall. Petawn i'n mynd i ddwylo Lord Latham mi fydde ganddo fo'r hawl i'n rhoi i yn yr House of Correction am adel fy ngwaith heb ganiatâd. Felly cerdded y nos a chysgu'r dydd amdani. Roeddwn i'r ochor draw i Ruthun erbyn iddi oleuo, ac mi gysges mewn tas wair mewn cae wrth ymyl y ffordd. Cychwyn wedyn y noson honno am Flaxen Hall, a gweithio'n ffordd drwy'r caeau at gefn tŷ Wiliam. Roedd yne ole i'w weld, a chymres ddyrnaid o raean a'u taflu at y ffenest. Dim byd. Graean eto at y ffenest, a dyma'r drws yn agor. "Pwy sy 'ne?"

"Y fi, Twm."

"Diffodd y gole yne, Marian." Ac yna, "Tyd i mewn, Twm!" Sleifies i mewn i'r croeso mwya a ges i erioed; roedd yne ysgwyd llaw a chydio'n dynn, a chwerthin a chrio a phawb yn sibrwd ar draws ei gilydd, nes aeth hi'n dawelwch ulw arnon ni.

"Tyd i eiste wrth y tân, Twm, a tynna'r llenni yne, Marian. Cyneu'r gannwyll inni gael golwg arno fo." Roedd llais Wiliam braidd yn floesg.

"O! Twm, be wyt ti wedi'i neud i dy wyneb?" gofynnodd Marian. "Edrych ar ei drwyn o, Wiliam! O! 'machgen glân i!"

Wel, bu'n rhaid imi ddeud fy hanes o'r funud y gadewes i Flaxen Hall – hynny oeddwn i'n ei gofio. Wrth gwrs roedd Wiliam isio cael hanes yr ymladd i gyd, a Marian isio'r hanes am Mari – ac yn darllen mwy i'n stori i nag oeddwn i'n ei ddeud, dwi'n siŵr. Ac wedyn yr hanes trist am Dic – roedd y teimlad yn gry amdano fo.

"Wel, dyne chi, 'dach chi'n gwbod 'yn hanes i'n o lew. Be amdanoch chi, a sut mae Harri? Mae o'n hogyn mawr erbyn hyn."

"Ydi, a mae ganddo fo frawd bach!" Hyn gan Marian. "A 'dan ni wedi ei fedyddio fo'n Tomos ar dy ôl di, ond Tomos fydd o ac nid Twm. Fydd yne neb yn cymyd dy le di, Twm, byth!"

Llynces yn sydyn. "A be 'di hanes Martha? Sut mae hi?"

"Mi gafodd Martha drawiad flwyddyn i'r diwrnod ar ôl i ti fynd, cofia. A ddaru hi ddim dod ati'i hun o gwbwl. Roedd hi wedi mynd yn andros o dew, a'r doctor yn deud fod yne ormod o fraster o gwmpas ei chalon. Yr hen gradures, un glên oedd hi hefyd. Wysti, Twm, na heliodd hi'r un planhigyn na deilen ar ôl iti fynd; roedd hi fel tase hi wedi colli pob awydd hefo ffisig."

Roeddwn i'n teimlo'n ddifrifol wrth glywed hyn, a mi gofies ei geirie: "mae gen ti wybodeth nad ydi o ddim ar gael i lawer." Mi fydde'n rhaid imi neud mwy o ddefnydd o hwnnw ar ôl cyrredd y wlad bell.

Ac o'r diwedd roedd yn rhaid imi ofyn, "A Miss Betsan?"

"Paid â phoeni dy ben am honno; dwi ddim yn meddwl ei bod hi'n malio botwm corn amdanat ti. Roedd hi wedi mynd ymhen tridie, a Mr Osmund i'w chanlyn, y creadur bach diniwed. Mynd dros nos ddaru nhwthe; mae'n rhaid ei bod hi'n ffasiwn!"

"Sut buodd hi hefo Lord Latham? Ddaru o yrru rhywun ar 'yn ôl i?"

"O, do! Ond roeddwn i wedi deud dy fod wedi bod yn sôn am fynd ar y llonge o Lerpwl, a chafodd neb ddim o dy hanes di. Ond y fi, wrth gwrs. Mi ges i sgwrs hefo John Coed-poeth a chael dy hanes di yn Stryt Isa, ond dim byd ar ôl hynny. Bu Marian a minne'n sôn llawer amdanat ti, cofia, a mi fyddwn yn fwy bodlon rŵan. Wnei di sgwennu ar ôl cyrredd America?"

"Wel, gwna', wrth gwrs. Ond mi fydd yn rhaid imi feddwl am

gychwyn toc iawn rŵan. Mi fydd yn dechre goleuo cyn hir, a mae gen i isio bod yn bell o Flaxen Hall cyn i'r haul godi. Gwrandwch, Wiliam a Marian, fedra i byth dalu'n ôl i chi, byth bythoedd! Ond wna i byth 'ch anghofio chi; 'dach chi'n dad a mam i mi..." A fedrwn i ddeud dim chwaneg am dipyn.

"Cymrwch y rhein," meddwn wedyn, a rhoddes y ddwy sofren felen, yr enillion ymladd, yn llaw Wiliam. "Rhowch un i Harri ac un i Tomos; enilles nhw wrth ymladd, ond dwi wedi gorffen hefo dyrne am byth." A dyma fi'n chwerthin ac yn deud, "Fydd yne neb yn medru galw 'Pretty Boy' arna i eto, Wiliam. Mi ddeudsoch chi y bydde'r gwyneb a'r gwallt yma'n dod â helyntion imi, a mi ddeudsoch y gwir bob gair. Ond dwi'n meddwl fod hynny tu cefn imi rŵan."

Roeddwn i'n cerdded yn dalog yr ochor draw i Bodffari pan gododd yr haul, ac yn edrych ymlaen, erbyn hyn, i gael hwylio ar long o Lerpwl fydde'n mynd â mi i'r America. Ond doedd yne'r un. Ac am gyfnod mi fues yn gweithio c'naea yn Edge Hill, nes imi weld yn y papur fod yne sgwner yn hwylio am Efrog Newydd ddiwedd y mis. Y *Swallow* oedd ei henw hi, a mi roedd ei chapten, Humphrey Humphries, yn chwilio am ddwylo ychwanegol ar ei bwrdd hi.

Pan es i i gaban Capten Humphries i ofyn am waith, mi gymrodd un olwg ar 'y ngwyneb i, ac un arall ar 'y nwylo, a deud, "Mi rodda i waith i ti, Thomas Jones; dwi'n credu mewn rhoi gwaith i Gymry ar y *Swallow*, ond os clywa i fod yne ymladd ymysg y criw, mi rodda i di yn yr haearne cyn iti gael amser i feddwl."

"Dwi'n ddigon hapus hefo'r telere yne, Capten Humphries," a mi estynnes fy nwy law ato fo a deud, "Dwi wedi codi'r rhein am y tro ola," a fedrwn i ddim peidio gwenu wrth ddeud. A dyna ddiwedd yr hanes, am wn i. Hwylio am Efrog Newydd ac i ganol storm ar ôl storm, a finne'n sâl môr ac yn teimlo y bydde'n well gen i farw na chario 'mlaen. Roeddwn i mor sâl nes o'n i'n teimlo 'mod i'n mynd i droi tu chwith allan. Chwe diwrnod y cymodd hi imi fedru codi o 'ngwely, a saith wythnos y buon ni'n croesi.

Cyrredd Efrog Newydd a'i chychwyn hi am y gorllewin. Roedd yne Gymry yn tyrru i Pennsylvania am fod yno waith yn y pylle glo, ond doedd gen i ddim awydd gneud hynny; roeddwn i'n gwbod be oedd hwnnw. Roeddwn i wedi cael digon o fod yn dwrch daear, chwedl Idris, a mi benderfynes i fynd i Ohio, wedi clywed fod yne ddigon o waith yn torri'r gamlas fawr newydd o Lyn Erie i Cincinnati. Roedd o'n waith caled, ond o leia roedd o'n waith awyr agored. Labro i seiri maen, ac yn teimlo'n eitha cartrefol am fod dau ohonyn nhw'n dod o Abergele. Bydden i'n cyfarfod Cymry – ffarmwrs – o bryd i'w gilydd, ac o dipyn i beth mi ddechreuis fynd i'r capel, ac wrth feddwl, ia, dyne'r drydedd gwaith imi ddechre mynd i'r capel. Yno y daru mi gwarfod dy fam, Gwenno. A phryd hynny y daru mi sylweddoli fod yna fyd o wahanieth rhwng caru merched – a Duw a ŵyr, mi gefes i ddigon o hynny – a chariad at un ferch. A phan gynigiodd dy hen ewyrth a dy hen fodryb inni briodi a dod i lawr i Paddy's Run yma i ffarmio Gwastadfaes am eu bod nhw'u dau yn mynd yn hen, pwy oedd isio gwell na hynny?

A mi wnes adduned bryd hynny, petawn i'n gorfod cael gweithwyr yma i helpu, na fydde'r un ohonyn nhw ar gyflog. Roeddwn i wedi diodde mwy na digon dan ddwylo meistri – yn Flaxen Hall, er na fuodd hi ddim yn galed arna i yn y fan honno, ac yn Pant, ac ym Merthyr. A phetai'n rhaid inni wrth weithwyr yma, yna mi fydden yn dod yma yn rhannog o unrhyw elw fasen ni'n ei neud. 'Dan ni yma rŵan ers dros ddeugien mlynedd, a dwi'n meddwl 'y mod i wedi gneud y peth iawn. Partneried ddyle dynion fod mewn gwaith, nid meistri a gweision. Be ddeudwch chi, Gwilym?"

"Dwi yma ers pum mlynedd ar hugien, Thomas Jones, a heb ddifaru unwaith."

"Ond fu gynnoch chi ddim awydd i fynd yn ôl i'r hen wlad, Nhad? Fu gynnoch chi ddim hiraeth?"

"Do, Gwenno, hiraeth mawr iawn am Wiliam a Marian a Harri; y nhw oedd 'y nheulu i, yr unig deulu fuodd gyna i yng Nghymru. Do, mi feddylies am fynd yn ôl lawer gwaith, cofia, ond na, dwi'n cysidro mai'r fan yma ydi Van Diemen's Land i mi. Mae'n rhaid imi gyfadde 'mod i'n dal i deimlo dipyn bach yn euog. Na, 'da' i byth yn ôl."

"Beth am y stori yne yn y *Cambrian*, am ryw Ieuan Parker yn cyffesu ar ei wely angau mai fo oedd wedi trywanu Donald Black?" gofynnodd Gwilym.

"Wel, ia, Ieuan oedd Ieuan yntê? Mi faswn i'n disgwyl rhywbeth felly gan Ieuan. Sŵn mawr a stori fawr. Bu yne rywbeth yn drwsgwl, afrosgo yn Ieuan erioed. Dwi bron yn siŵr mai y fo roddodd y bidog yn 'y nghoes i, a'i fod o'n meddwl 'wrach mai Black oeddwn i, ond fydden i byth yn medru profi hynny; dwi'n ddigon siŵr nad oedd o ddim yn agos i Black. Pan oeddwn i'n gorwedd o flaen y Castle ar ôl cael y bidog, mi faswn i'n taeru imi weld Lewsyn yn trywanu Black, ond fedrwn i ddim profi hynny chwaith. Ond mae yne beth arall. Mi ddeudodd Lewsyn rywbeth rhyfedd iawn ar ôl crogi Dic; bron iawn nad oedd o'n cyfadde mai fo ddaru, ac eto na ddaru o ddim, chwaith. Dwi'n meddwl weithie mai felly'r oedd hi, mai Lewsyn ddaru drywanu Black, ond na ddaru o ddim cyfadde ar y pryd am fod Dic a fynte, y ddau ohonyn nhw, wedi cael eu dedfrydu i'w crogi, a phan newidiwyd y ddedfryd arno fo, mi adawodd i Dic fynd i'r grocbren. Lewsyn yr euog yn mynd yn rhydd, a Dic yn ddieuog yn mynd i'w grogi. Dwn i ddim.

Ond taswn i wedi sylweddoli fod Ieuan yn Pennsylvania mi faswn i wedi gneud ymdrech i fynd i'w weld o, hefyd, petai ddim ond i sôn am yr hen amser. Mi fase wedi bod yn ddigon rhwydd hefo'r trên. Biti am hynny."

Distawrwydd am hir, ar hen ŵr wedi cau ei lygaid. Yna: "A'r cwbwl i ddim byd, yntê? Wellodd hi ddim ar y glöwr, nac ar y gweithiwr haearn; os rhywbeth, gwaethygu wnaeth hi. A dal i neud eu ffortiwn oedd Crawshay, Guest a Homfray a'r lleill.

"Ond fedran nhw ddim gwadu un peth; fedran nhw ddim tynnu hynny odd'arnon ni: am y pedwar diwrnod o'r dydd Gwener tan y dydd Llun, ni oedd pia Merthyr; yng ngwyneb nerthoedd y milwyr a'r meistri a'r awdurdode, ni, y gweithwyr, oedd y meistri ym Merthyr. A fasen ni ddim wedi rhoi i mewn mor rhwydd ar y dydd Llun, chwaith, tase gynnon ni fwyd yn 'n bolie!"

Distawrwydd hir eto. Yna, â rhyw awgrym o chwerthin, "Mae'r hen Huw bach wedi'i gweld hi, dwi'n meddwl, do wir; dyne ofynnodd o i mi, am hanes y 'Methu'r Eiots'. Methu'r Eiots! A fo sy'n iawn; methu fuodd hi, methu'n llwyr."

Tynnodd ei law dros ei wyneb a'i drwyn a rhyw hanner gwenu; yna mi gysgodd.